Sous la direction de Geneviève Ouellet
General editor

Commissaires - Curators
Eve-Lyne Beaudry
Marcel Blouin
Catherine Nadon
Myriam Tétreault

Artistes - Artists
Jennifer Angus
Raul Ortega Ayala
Gabriel Baggio
Thomas Blanchard
Thérèse Chabot
Cooke-Sasseville
Marc Dulude
Renay Egami
Les Fermières Obsédées
Aude Moreau
Luce Pelletier
Marc-Antoine K. Phaneuf
Karen Tam
Eve K. Tremblay
Women With Kitchen Appliances

Auteurs - Authors
Sylvette Babin
Eve-Lyne Beaudry
Marcel Blouin
Mélanie Boucher
Catherine Nadon
Myriam Tétreault
Scott Toguri McFarlane

Table des matières - Contents

Mot des directeurs - Message from the Directors
Eve-Lyne Beaudry et Marcel Blouin 004

Mot des commissaires - Message from the Curators
Eve-Lyne Beaudry, Marcel Blouin, Catherine Nadon, Myriam Tétreault 006

Avant-propos - Foreword
Geneviève Ouellet 008

L'événement - The Event

Orange 2006: Como Como. Une thématique et 15 réflexions en autant d'univers
Orange 2006: Como Como. 1 theme and 15 reflections in as many worlds
Myriam Tétreault 010

Jennifer Angus *Dust to Dust* 018
Raul Ortega Ayala *Melting Pots* 022
Gabriel Baggio *Lo Dado* 026
Thomas Blanchard *Fabricated Food* 030
Thérèse Chabot *Yo soy como el chile verde, Ilorona, picante pero sabroso* 034
Cooke-Sasseville *Le nouveau monde* 038
Marc Dulude *Jardin d'Artifices* 042
Renay Egami *Flood* 046
Les Fermières Obsédées *Le rodéo, le goinfre et le magistrat* 050
Aude Moreau *Tapis de sucre 2* 054
Luce Pelletier *Écorce et anatomie* 058
Marc-Antoine K. Phaneuf *Grosse poutine* 062
Karen Tam *Jardin Chow Chow Garden* 066
Eve K. Tremblay *Tales Without Grounds* et *Postures scientifiques* 070
Women With Kitchen Appliances *WWKACOMO* 074

Les textes - Texts

D'orange et de valeurs - Orange and Values
Marcel Blouin
080

Fiel Orange. De l'ambivalence esthétique - All That Is Orange Is Not Sweet : On Aesthetic Ambivalence
Eve-Lyne Beaudry
094

Orange reliquaire - Orange as Reliquary
Catherine Nadon
102

Le repas partagé dans l'art contemporain - Shared Meals in Contemporary Art
Mélanie Boucher
110

Que mangent les artistes ? - What Do Artists Eat ?
Sylvette Babin
124

Le labyrinthe du Mondor, et autres fables à Orange - The Labyrinth of Le Mondor, and Other Fables of Orange
Scott Toguri McFarlane
134

Liste des œuvres présentées - List of Works Presented
150

Notices Biographiques - Biographical Notes
152

Mot des directeurs - Message from the Directors

En 2006, ORANGE, L'événement d'art actuel de Saint-Hyacinthe en était à sa deuxième édition, trois ans après le premier événement qui eut un impact plus qu'appréciable, tant sur la scène artistique nationale que régionale. Toujours menée par une volonté de créer un laboratoire de réflexion sur l'art actuel réalisé par des artistes professionnels qui traitent de notre rapport à l'alimentation, ORANGE 2006 s'est tenu du 8 septembre au 22 octobre.

Cette deuxième édition de ORANGE est redevable au dévouement de nombreuses personnes, ainsi qu'à la participation de plusieurs organismes et instances subventionnaires. Nous remercions EXPRESSION, Centre d'exposition de Saint-Hyacinthe, partenaire principal de l'événement, et l'ensemble de son équipe pour son apport indispensable. Aussi, rappelons que sans les artistes, un tel événement n'existerait pas. Merci donc aux artistes de ORANGE 2006 provenant du Québec, du Canada, de l'Argentine, du Mexique et des États-Unis.

In 2006, three years after the initial event sent ripples of excitement across the country, the curtain rose for the second time on ORANGE: Contemporary Art Event of Saint-Hyacinthe. Driven by the continued desire to serve as a think tank on present-day art by professionals dealing with our relationship to food, ORANGE 2006 unfolded from September 8 to October 22.

The second edition of ORANGE owes much to the dedication of countless people and the backing of many organizations and funding agencies. Our thanks go to EXPRESSION, Centre d'exposition de Saint-Hyacinthe, the main event partner, and its team for their indispensable contribution. We also want to stress that, without artists, there would be no event. So, to the artists of ORANGE 2006, to those from Quebec and other areas of Canada, from Argentina, Mexico and the United States, we say Thank you!

Eve-Lyne Beaudry et Marcel Blouin
Directeurs de ORANGE, L'événement d'art actuel de Saint-Hyacinthe
Directors of ORANGE: Contemporary Art Event of Saint-Hyacinthe

Mot des commissaires - Message from the Curators

L'agroalimentaire constitue l'une des plus importantes activités de la région et c'est principalement pour cette raison que l'événement ORANGE a été organisé à l'origine. Technopole de l'agroalimentaire, la ville de Saint-Hyacinthe se démarque par le nombre impressionnant de fermes qui bordent son territoire, de même que par les institutions de recherche et d'enseignement qui font de cette région une référence de pointe dans le secteur agricole.

Source de réjouissance et d'inquiétude, l'individu s'intéresse plus que jamais à ce qu'il mange; il ne se contente plus de savoir ce qu'il consomme, il veut aussi tout connaître sur la provenance des aliments qu'il ingère. COMO COMO (qui, en espagnol, signifie *Comment je mange*) découle directement de ces considérations. De la collecte à la consommation, en passant par la production, la transformation, la mise en marché et l'achat des denrées, aucune étape n'est négligée. Dans ce contexte, ORANGE 2006 fut l'occasion de réunir une quinzaine d'artistes travaillant à partir de ces réalités qui façonnent nos manières de s'alimenter. Comme il n'y a pas de lecture univoque à faire de cet aspect important de nos vies, chacun des artistes a proposé ses observations, ses interrogations et ses aspirations à travers COMO COMO, un thème commun, universel et d'actualité.

Autre particularité – d'ordre esthétique –, les artistes ayant participé à ORANGE ont fait appel à l'éphémère, à l'installatif et au performatif. Et comme plusieurs d'entre eux présentaient des œuvres inédites, réalisées en résidence ou déjà exposées, mais renouvelées en fonction du lieu, il y avait une grande part d'inconnu dans cette exploration collective, y compris pour nous les commissaires. Or, avec le recul, cette publication, qui relate les faits marquants de ORANGE 2006, constitue, pour les commissaires et les collaborateurs qui se sont joints à nous, une analyse enrichie grâce au regard porté a posteriori sur la rencontre de ces pratiques. Tout particulièrement, cet ouvrage portant sur les démarches d'artistes préoccupés par la nourriture, nous donne l'opportunité de dresser une série d'observations qui a eu le temps de mûrir, considérant le temps qui s'est écoulé depuis la tenue de l'événement.

The fact that farming and food processing constitute one of the region's largest industries was a key factor in the original decision to organize ORANGE. The city of Saint-Hyacinthe is an agri-food technopolis, notable for the myriad farms bordering its territory and for the research and teaching institutions that make the area a leading reference in the agricultural sector.

Today, food is more than ever an object of interest, a source of delight but also of concern. People are no longer content just to know what they're eating; they want the full facts on their table fare. COMO COMO (meaning "how I eat" in Spanish) stems directly from these considerations. From field to fork – growing, processing, marketing, retailing – every step calls for scrutiny. This was the backdrop to ORANGE 2006, which brought together fifteen artists working from the new realities that shape the multiple realms of food and its production. Because there is no one reading of this important aspect of our lives, the artists proposed their respective observations, questions and aspirations through COMO COMO, a common, universal and ever-timely theme.

Another particularity of the event – this one of an aesthetic nature – was the preponderance of ephemeral, installation and performance art. And since many of the artists presented previously unexhibited material, works produced in residence or earlier pieces revisited for the occasion, the unknown played an important part in the collective exploration, even for us, the curators. The analysis of these practices that we and our fellow contributors offer in this publication recounting the highlights of the event is enriched by the benefit of hindsight. Indeed, this book on the work of artists concerned with food has afforded us the opportunity to share observations that have matured over time, since the curtain rang down on ORANGE 2006.

Eve-Lyne Beaudry, Marcel Blouin, Catherine Nadon, Myriam Tétreault
Commissaires de ORANGE, 2e édition
Curators, ORANGE, 2nd edition

Avant-propos

Véritable lieu de convergence de la pensée, de la réflexion, du plaisir et de la connaissance, le musée ne saurait être qu'un simple spectateur des grands enjeux sociaux. Il est plutôt appelé à nourrir les débats, à les susciter. Et c'est bien ce qu'il fait en créant des manifestations artistiques collectives qui réfèrent à l'expérience de vie des visiteurs, les amenant en somme à questionner leur propre pensée. L'expérience muséale ne se limite plus à la visite destinée à distraire et à cultiver. Considérant que l'art a transgressé les frontières pour s'immiscer dans des champs de la sphère privée, elle propose d'aller bien au-delà de la simple contemplation. Elle se vit maintenant dans la réflexion suscitée par la mise en exposition d'un discours.

L'individu pouvant aujourd'hui exprimer des choix politiques par sa simple alimentation, ORANGE s'insère dans un contexte social en pleine mutation. Les œuvres présentées dans le cadre de la deuxième édition de l'événement, plus réfléchies les unes que les autres, se sont unies pour proposer un éloquent regard sur notre société. Scrutant nos habitudes consommatoires, nos perceptions et nos mœurs, elles ont suscité l'émergence d'une réflexion chez les visiteurs relativement aux enjeux sociaux et politiques liés à l'agroalimentaire. Elles ont également nourri les réflexions des commissaires, comme en témoigne cette publication. En présentant un discours porteur de sens et d'idéologies, tout en proposant l'adoption d'un point de vue, ORANGE a permis à chacun de découvrir, dans les espaces parcourus et les choses vues, ce qu'il savait l'intéresser, ce qu'il voulait connaître, ce qu'il désirait trouver, ce à quoi il ne s'attendait pas et peut-être même plus qu'il n'espérait.

Par son discours, la deuxième édition de ORANGE a démontré que les artistes ne se limitent pas à la création. Ils sont d'abord des citoyens appelés à jouer un rôle proactif dans le façonnement de notre réflexion et de notre vision du monde. En proposant des créations engageantes plutôt que des œuvres d'art engagées, ils sont devenus des acteurs sociaux incontournables, au même titre que les musées. C'est d'ailleurs ce que révèlent les essais, la réflexion des commissaires et des auteurs s'étant développée au-delà de la démarche esthétique. Leurs pensées ont été façonnées par des préoccupations morales, sociales, environnementales, éthiques et politiques, abordées par les réalisations. Conséquemment, le lecteur est invité à approfondir la réflexion entamée lors de la visite des lieux, à se reconsidérer comme citoyen, à remettre en question ses conceptions et ses certitudes.

Pour ma part, la coordination de cette publication a été une occasion de rencontrer de précieuses collaboratrices. Je tiens donc à remercier Colette Tougas pour son regard critique, ainsi que Marcia Couëlle pour sa rigueur et son exactitude. Leur travail a été fort enrichissant et plus qu'appréciable. Elles ont sans conteste contribué à la qualité de cette publication. Je désire aussi exprimer ma gratitude envers Eveline Lupien, responsable du design graphique, pour sa justesse et son regard esthétique, deux qualités ayant indéniablement permis de mettre en valeur le travail des artistes. Je tiens également à remercier les membres du conseil d'administration de ORANGE, qui m'ont démontré leur confiance en acceptant ma contribution à ce fabuleux projet. Finalement, mais non le moindre, je suis redevable à Marcel Blouin, qui m'a invitée à prendre part à ce qui a été une remarquable aventure.

Geneviève Ouellet
Responsable de la coordination de la publication

Foreword

As true forums of ideas, reflection, pleasure and knowledge, museum institutions cannot simply sit back and observe major social issues. Rather, their role is to spark and nourish debate. And that is what they do by creating collective art events that are relevant to the visitor's life, that lead people to question their own thinking. The museum experience is no longer limited to visits meant to distract or impart culture. With art having transgressed its boundaries to infiltrate the realms of intimacy, this experience now goes well beyond simple contemplation, offering food for thought inspired by the exhibition of discourse itself.

ORANGE takes place in a rapidly evolving social context, where people can express their political choices through their dietary choices. Together, the thoughtful works presented at the second edition of the event provided a telling look at our society. Scrutinizing our consumer habits, our perceptions and our behaviour, they prompted visitors to reflect on social issues and policies related to the agri-food sector. They also provided the curators with much to chew over, as seen in this publication. By presenting a discourse rich in meanings and ideologies, while adhering to a point of view, ORANGE, with its varied venues and presentations, gave everyone the opportunity to encounter the familiar, the unknown, the sought or desired, the unexpected, and perhaps even more than hoped for.

Through its discourse, ORANGE II demonstrated that artists do not confine themselves to creating. They are first and foremost citizens, with a proactive role to play in shaping the way we think and how we see the world. By proposing engaging creations, rather than engaged artworks, they, like museums, have become vital social actors. This is clearly reflected in the following essays, where the thinking of the curators and other contributors transcends aesthetics, framed by the moral, social, environmental, ethical and political concerns addressed by the works. As a result, readers are encouraged to pursue the reflection sparked by the event, to rethink their own role as citizens, to question their conceptions and certainties.

Coordinating this catalogue has given me the opportunity to work with valued collaborators. I want to thank Colette Tougas, for her critical scrutiny, and Marcia Couëlle, for her rigorous eye to accuracy. Their efforts have unquestionably helped to enrich and ensure the quality of these pages. I am also grateful to graphic designer Eveline Lupien, for her discernment and aesthetic sensibility, essential to doing justice to the artists' work. My thanks go as well to the members of the ORANGE board of directors, for their confidence in allowing me to contribute to this project. And last, but far from least, I am indebted to Marcel Blouin, for inviting me to join in what has been a remarkable adventure.

Geneviève Ouellet
General editor

L'événement - The Event

Jennifer Angus
Raul Ortega Ayala
Gabriel Baggio
Thomas Blanchard
Thérèse Chabot
Cooke-Sasseville
Marc Dulude
Renay Egami
Les Fermières Obsédées
Aude Moreau
Luce Pelletier
Marc-Antoine K. Phaneuf
Karen Tam
Eve K. Tremblay
Women With Kitchen Appliances

10. Aude Moreau *From Foot to Mouth*, 2006

Myriam Tétreault
Orange 2006 : Como Como

Une thématique et 15 réflexions en autant d'univers

Genèse de la deuxième édition de ORANGE Les quatre commissaires de la seconde édition de ORANGE, L'événement d'art actuel de Saint-Hyacinthe, Eve-Lyne Beaudry, Marcel Blouin, Catherine Nadon et moi-même, voulions poursuivre les questionnements amorcés trois ans plus tôt sans pour autant refaire ce qui avait déjà été fait, nous voulions apporter une couleur différente à cet événement tout en conservant l'aspect rassembleur et festif qui le caractérise. Une fois le contenu bien mûri, une évidence s'est imposée à nous : en rassemblant les propos de chacun des artistes sélectionnés, il en ressortait un questionnement sur la façon dont l'humain s'alimente, aujourd'hui; une réflexion sur l'utilisation de l'aliment et ses dérivés dans les sociétés modernes; un peu de lucidité et de fantaisie dans le monde de la surconsommation et de la désinformation nutritionnelle; plus encore, un immense collage des différentes perceptions du domaine de l'agroalimentaire, transposé dans un univers artistique riche et varié. Après avoir fait ce constat, une thématique a surgi d'elle-même : COMO COMO. Cet énoncé espagnol signifie *Comment je mange*. Cela ciblait bien, croyions-nous, les multiples enjeux abordés dans la deuxième édition de ORANGE.

Après plusieurs mois de préparation, non sans quelques imprévus, les quinze artistes de différentes provenances arrivaient enfin à Saint-Hyacinthe et le projet se concrétisait de plus en plus, sous nos yeux. Était maintenant venu le moment de faire coexister différentes œuvres en deux lieux distincts, EXPRESSION et ce qu'il nous a semblé convenable d'appeler Le Mondor. Ce vaste espace à l'allure industrielle offrait certains avantages non négligeables. En plus de pouvoir exposer le travail de plusieurs artistes, il permettait un parcours non imposé pour les visiteurs.

La soirée d'ouverture 8 septembre. C'est à ce moment précis que nous avons vu le résultat de notre labeur, que nous avons goûté à ce mets qui mijotait depuis des mois. Les ingrédients étaient enfin rassemblés afin de produire un événement marquant tant pour les artistes, les visiteurs que pour toute l'équipe qui a participé au projet, qui a mis la main à la pâte. Dans une ambiance *lounge*, Marc-Antoine K. Phaneuf avait convié les visiteurs à le rejoindre au bar à poutine, dans la petite salle d'EXPRESSION. Sourires et grimaces pouvaient se lire sur le visage des gens qui « dégustaient » un *shooter* de champagne et poutine, préparé par l'artiste et son acolyte (une jeune femme qui agissait à titre de serveuse). La scène se déroulait devant la présentation murale du vidéo *Grosse poutine*, montrant l'artiste en train de se gaver de *fast-food*. Outre la vidéo, il est resté de cette performance le mélangeur électrique ayant servi à faire les *shooters*, souillé et présenté sur un socle. Au Mondor, Gabriel Baggio préparait simultanément, sous les yeux amusés des visiteurs, trois mets témoignant de la rencontre de différentes cultures en Argentine, pays d'origine de l'artiste. Issus de ses traditions familiales juives, italiennes et argentines, ces plats ont pu être

12. Marc-Antoine K. Phaneuf
Grosse poutine, 2006

savourés par les gens présents à la soirée d'ouverture. Ayant également cuisiné pour les visiteurs, Raul Ortega Ayala avait imaginé un labyrinthe dans l'espace du Mondor. Invités à y circuler, les gens ont pu apprendre, par l'entremise de dessins, de photos et d'une vidéo, que des chaudrons auraient été fabriqués à partir de débris du World Trade Center. Au centre de *Melting Pots*, le soir du vernissage, des plats cuisinés par l'artiste attendaient les visiteurs, heureux de se délecter d'un si bon repas. Ce qui aurait pu être cacophonique, les Women With Kitchen Appliances l'ont rendu presque mélodieux. Comme à leur habitude, c'est en jouant du mélangeur électrique qu'elles ont capté l'attention des gens. *WWKACOMO*, une prestation sonore rendue possible grâce à l'utilisation d'appareils culinaires, a étonné. Les WWKA ont laissé sur place leurs «instruments», micros et amplificateurs afin que quiconque n'aurait pas été témoin de leur performance soit informé de leur passage remarqué à ORANGE.

L'événement Pendant les six semaines suivantes, en plus des œuvres précédemment mentionnées, les visiteurs ont pu vivre l'expérience ORANGE par l'entremise du travail de quelques autres artistes. À EXPRESSION, dans la grande salle, la série *Fabricated Food*, de Thomas Blanchard, comprenait treize photographies accompagnées de commentaires visant à dénoncer les manipulations que subissent les aliments que nous mangeons. Trois photographies tirées de la série *Fishbowl* accueillaient également les spectateurs à l'entrée de l'espace d'exposition. Dans ce même lieu, Eve K. Tremblay proposait aussi des photographies, mais d'un tout autre registre. Provenant des séries *Tales Without Grounds* et *Postures scientifiques*, ces images présentaient de véritables scientifiques qui ont un contact bien particulier avec les plantes et les salades qui les entourent. Les images laissaient place à plusieurs questionnements de la part du visiteur... Et entre ces deux univers, Thérèse Chabot a fait «pousser» un jardin. Un jardin de fleurs séchées et de piments qui n'était pas verdoyant mais qui rappelait les jardins clos du Moyen Âge. *Yo soy como el chile verde, llorona, picante pero sabroso* [1] [Je suis comme le poivre vert, femme pleurante, chaude mais délicieuse] faisait également penser aux fiestas mexicaines.

En sortant du Marché Centre où est situé EXPRESSION, les ronds orangés peints sur le sol menaient, dans un premier temps, à la vitrine d'un disquaire. À cet emplacement, il était possible de regarder la photographie des Fermières Obsédées, un trio féminin qui a également pris part à l'événement par le biais de la performance. Avec cette image apparaissant dans une boîte lumineuse et évoquant à la fois la mort, les défilés et les foires, le trio démontrait leur goût pour le burlesque.

Direction Le Mondor. En plus de Gabriel Baggio, Raul Ortega Ayala et les WWKA, sept autres artistes avaient pris possession des lieux. Tout comme Thérèse Chabot l'avait fait, la plupart d'entre eux ont travaillé sur place pendant plusieurs jours afin de créer des œuvres *in situ*. Aude Moreau y présentait son *Tapis de sucre 2*, immense trompe-l'œil fait de sucre et de colorant alimentaire, si bien réalisé que n'ont pu être évitées quelques traces de pas laissées par certains visiteurs... Habitant l'espace dans lequel elle s'inscrit, cette installation rappelait, par la représentation picturale sur les murs, la coupe de la canne à sucre. Le duo Cooke-Sasseville présentait pour sa part *Le nouveau monde*. À première vue ludique, cette petite ferme constituée de maïs soufflé témoignait de l'écart entre les véritables besoins liés à notre alimentation et la surproduction que l'on fait de cette graminée, afin de répondre aux demandes d'une consommation outrancière. Un bœuf et une vache grandeur nature, trois coqs et deux cygnes disproportionnés, ainsi qu'un arbre et une clôture figuraient parmi les éléments mis en place par le duo afin de créer une ferme aux allures de démesure. *Jardin d'artifices*, l'installation créée par Marc Dulude, se présentait comme une forêt où il était agréable de déambuler. Des fonds de bouteilles de boissons gazeuses recyclées jonchaient le sol en guise de fleurs, des arbres incandescents s'étiraient jusqu'au plafond et des bestioles mécaniques volantes venaient ponctuer le parcours afin de surprendre les visiteurs. Une réflexion sur la réutilisation des ressources émergeait de cette installation. Découlant d'un aspect de l'alimentaire rarement exploité en arts visuels, la congélation, l'œuvre de Renay Egami évoquait la fragilité de certains aspects de la vie, telles les croyances culturelles. *Flood* était une installation où des bouddhas congelés côtoyaient une vidéo rappelant le père défunt de l'artiste. Des insectes épinglés au mur, par-dessus une tapisserie représentant une chaîne alimentaire, voilà de quoi était constituée *Dust to Dust*. L'œuvre de Jennifer Angus comprenait également différentes variétés de miel provenant d'un apiculteur de Saint-Hyacinthe. *Écorce et anatomie*, l'installation de Luce Pelletier qui représentait des parties de corps humain, avait pour sa part été créée à partir de végétaux. Par son titre évocateur et par l'analogie visuelle créée entre la matière végétale et le corps humain, les règnes animal et végétal s'y trouvaient confondus, montrant également la fragilité des rapports entre l'humain et la nature. Karen Tam avait quant à elle métamorphosé une partie du Mondor en restaurant chinois. Également visible de l'extérieur par les grandes baies vitrées, ce restaurant nommé *Jardin Chow Chow Garden* avait tout pour induire les gens en erreur. Tables, plantes, menus, comptoir et caisse enregistreuse figuraient parmi les objets soigneusement choisis par l'artiste pour créer un leurre.

Les conférences 23 septembre. Ce samedi a marqué l'événement par la série de conférences qui avaient été organisées afin de réfléchir sur certaines thématiques bien précises de l'agroalimentaire et des arts visuels. Cette journée, animée par Danyèle Alain (artiste et directrice du 3e impérial), s'est déroulée en deux volets. En avant-midi étaient présentées les conférences de la série « La place de la nourriture dans l'art contemporain ». Dans cette série, Mélanie Boucher, historienne de l'art et commissaire indépendante, a parlé de l'exploitation du repas communautaire à des fins d'œuvres d'art performatives et s'est intéressée aux modes d'échanges tels le don, le troc et la vente. La conférence de Scott Toguri McFarlane, éditeur et critique d'art, portait sur l'histoire de l'Institut N.I. Vavilov, située en Russie, une des plus grandes banques de semences au monde, créée en 1894 sous l'appellation de Bureau de Botanique Appliquée et nommée en l'honneur de l'éminent botaniste et généticien Nikolai Ivanovich Vavilov, en 1987. Sylvette Babin, artiste, auteure et directrice de la revue *esse arts + opinions*, s'est pour sa part interrogée sur le moment où l'ingestion de nourriture se transforme en un geste artistique, plus spécifiquement pour les artistes de la performance.

En après-midi se tenait le deuxième volet de la journée, « Alimentation et société ». Paul Thibault, qui a contribué à la mise sur pied de Protec-Terre, est venu parler du projet d'Agriculture Écologique Associative (AÉA), tandis que Françoise Kayler, journaliste et chroniqueuse gastronomique, a informé les gens des divers principes du mouvement Slow Food. Le président de l'Union paysanne, Maxime Laplante, a conclu cette journée de conférences en discutant de la Commission nationale sur l'agriculture, une vaste réflexion dont le but est de résoudre les problèmes reliés à l'industrie agroalimentaire.

Les performances 24 septembre. Cette journée bien spéciale avait été réservée pour la présentation de performances, regroupées dans un même après-midi. Thérèse Chabot, dans une allure de reine, a amorcé ce segment de journée en pénétrant dans la salle d'EXPRESSION tout en chantant. En guise d'offrandes, elle a distribué aux gens présents des tasses de chocolat chaud au piment. Un délice pour un moment particulier où il faisait bon se rassembler et discuter, dans une ambiance chaleureuse et conviviale sur fond de poésie. À l'extérieur du Marché Centre, les Fermières Obsédées ont cérémonieusement fait leur place parmi les marchands, en attirant et en intriguant les passants. Avec une attitude de conquérantes, elles ont défilé de manière solennelle. Leur performance, *Le rodéo, le goinfre et le magistrat*, prenait des allures militaires et dénonçait certains clichés associés au rôle de la femme. Au Mondor, Aude Moreau avait apposé au mur une phrase énoncée par Joseph Beuys et reproduite en gélatine : « Ego, le moi, réclame de l'économie une nourriture spirituelle ». C'est en montant sur des piles d'assiettes de plus en plus hautes pour pouvoir manger cette phrase que l'artiste a réussi sa performance pour le moins périlleuse. La tension et l'écœurement, dû à l'ingurgitation d'un surplus de sucre, trahissaient chacun de ses gestes au fur et à mesure que la performance se déroulait. Cette manifestation a certes tenu les visiteurs en haleine tout le temps qu'elle a duré. Les gens étaient également conviés à aller au restaurant chinois de Karen Tam afin de prendre un café, de discuter et de jouer à des jeux en compagnie de l'artiste et de plusieurs autres personnes heureuses de faire une pause pour s'amuser et échanger.

ORANGE 2006 aura été un événement diversifié qui offrait la possibilité de se rassembler et de réfléchir sur plusieurs sujets touchant le domaine de l'agroalimentaire. Pendant six semaines, la programmation proposée a permis d'aborder ces sujets d'actualité par le biais d'œuvres de maintes disciplines, de conférences, de performances et d'activités satellites. Pour ceux qui n'ont pu assister à l'événement, comme pour ceux qui y étaient mais qui veulent s'y replonger, le parcours des pages de la présente publication permettra de vivre ou de revivre chaque facette de cette manifestation artistique festive et conviviale, et de faire durer le plaisir...

1. Paroles tirées d'une chanson populaire – *La Llorona* – de la région de Oaxaca, au Mexique.

Myriam Tétreault
Orange 2006 : Como Como

Translated by Marcia Coüelle

1 theme and 15 reflections in as many worlds

The Birth of ORANGE II The aim of the four curators of the second edition of ORANGE: Contemporary Art Event of Saint-Hyacinthe –Eve-Lyne Beaudry, Marcel Blouin, Catherine Nadon and I– was to delve further into the questions raised three years earlier, but without repeating the past. We wanted to bring a different colour to the event while maintaining its characteristic inclusiveness and festive atmosphere. Once the content had been debated and decided, certain things became apparent. In compiling the various concerns of the selected artists, we discerned a questioning of the way humans feed themselves today, a consideration of the use of food and its derivatives in modern societies, a glimmer of lucidity and fantasy in a world of overconsumption and nutritional disinformation. Taken all together, they constituted a vast collage of the different perceptions of the agri-food sector transposed in a rich and varied artistic universe. From there, a theme arose of its own: COMO COMO. This Spanish phrase meaning "how I eat" seemed to us a fitting way to encompass the multiple issues addressed in the second edition of ORANGE.

After months of preparation, and a few bumps in the road, fifteen artists from far and wide finally arrived in Saint-Hyacinthe and the project began taking shape before our eyes. Now it was time to install the disparate exhibits side by side in two different venues : EXPRESSION and what we called Le Mondor, a vast commercial space that offered the dual advantage of accommodating the work of multiple artists and allowing visitors to design their own tour.

Opening Night September 8. This was when we got to see the result of our efforts, when we tasted the dish that had been stewing for months. All of the ingredients had been added to produce an event that would be memorable for the artists, the visitors and the members of the hardworking project team. In a lounge-like area in EXPRESSION's small gallery, Marc-Antoine K. Phaneuf invited visitors to join him at the poutine [French fries, cheese curds and gravy] bar. Smiles and grimaces flashed across the faces of people tasting champagne and poutine shooters prepared by the artist and his assistant/waitress. This took place near the wall projection of the video *Grosse poutine* [Large Poutine] that shows the artist wolfing down fast food. Along with the video, the electric mixer used to make the shooters remained on view as a souvenir of the performance, unwashed and displayed on a stand. Meanwhile, at Le Mondor, Gabriel Baggio was delighting onlookers as he prepared three recipes illustrating the fusion of different cultures in his native Argentina. The dishes were based on his Jewish, Italian and Argentine family traditions, and all three were offered for tasting. Raul Ortega Ayala had been cooking, too. People entering his mazelike *Melting Pots* at Le Mondor learned from drawings, photos and a video that scrap metal from the World Trade Center had allegedly served to make pots and pans. And on opening night, food prepared by the artist awaited guests at the centre of the installation. Nearby, Women With Kitchen Appliances were

2. Raul Ortega Ayala
Melting Pots, 2006

12. Marc-Antoine K. Phaneuf
Grosse poutine, 2006

making what could have been cacophonic into something almost melodious. As usual, they caught the crowd's attention by "playing" an electric mixer. *WWKACOMO*, a sonic performance involving a variety of culinary implements, had people amazed. WWKA's "instruments," microphones and amplifiers were left on site to inform ORANGE visitors having missed the performance about the group's much-noted gig.

The Event For the following six weeks, visitors had the opportunity to experience ORANGE through the work of these and other artists. In the main gallery at EXPRESSION, Thomas Blanchard's series *Fabricated Food* featured thirteen photographs accompanied by commentary denouncing the manipulation of the food we eat. He showed three photos from the series *Fishbowl* as well, at the entrance to his space. In an adjacent area, Eve K. Tremblay also showed photographs, but of an entirely different nature. Drawn from the series *Tales Without Grounds* and *Postures scientifiques* [Scientific Stances], these images of actual scientists in enigmatic contact with lettuce and other plants had many visitors scratching their heads. Between these two areas, Thérèse Chabot "grew" a garden of dried flowers and peppers, which, while not verdant, recalled medieval cloister gardens. *Yo soy como el chile verde, llorona, picante pero sabroso*[1] [I am like the green pepper, weeping woman, hot but delicious] also brought Mexican fiestas to mind.

From EXPRESSION's home at the Marché Centre building, orange circles painted on the pavement led to the window of a record store, where a photograph of Les Fermières Obsédées [The Obsessed Farm Women] was on display. Presented in a light box, the picture of the three women, who also contributed a performance to the event, conjured up thoughts of death, parade and country fairs, illustrating their predilection for burlesque comedy.

The path then continued to Le Mondor, where seven other artists shared the premises with Gabriel Baggio, Raul Ortega Ayala and WWKA. Like Thérèse Chabot at EXPRESSION, most of them had worked on site for several days to create in situ pieces. Aude Moreau was showing *Tapis de sucre 2* [Sugar Carpet 2], an immense trompe l'oeil piece made with sugar and food colouring and so convincingly done that it was inevitably marked by viewers' footprints. Fully occupying its allotted space, this installation referred to the harvesting of sugarcane with a large mural painting. Close by, the Cooke-Sasseville duo presented *Le nouveau monde* [The New World], a little farm made of popcorn that appeared playful at first glance but in fact addressed the disparity between the corn actually needed for food and the quantities produced in response to gluttonous consumption. Elements including a life-size ox and cow, three oversized roosters, two oversized swans, a tree and a fence contributed to the impression of excess. Marc Dulude's installation *Jardin d'artifices*

[Garden of Artifice] looked like an inviting forest, a nice place to stroll. Recycled soft drink bottle ends were strewn like flowers, incandescent trees stretched to the ceiling, and mechanical flying insects popped up here and there, surprising viewers of a work that invited reflection on the reuse of resources. Looking at food from an angle rarely dealt with in the visual arts, the installation by Renay Egami spoke to the fragility of cultural beliefs and other aspects of life. *Flood* featured frozen Buddha figures and a video recalling her dead father. In a different vein, *Dust to Dust* was composed of insects pinned to a wall hanging representing a food chain. Jennifer Angus's piece also included several varieties of honey produced by a Saint-Hyacinthe beekeeper. *Écorce et anatomie* [Bark and Anatomy], the installation by Luce Pelletier representing parts of the human body, was created from plants. The evocative title and the visual analogy between plant matter and human flesh merged the animal and vegetable kingdoms, underscoring humans' fragile relationship to nature. Karen Tam turned her space at Le Mondor into a Chinese restaurant. Visible from the outside through the large windows, *Jardin Chow Chow Garden* had everything needed to fool passers-by: tables, plants, menus, counter, cash register and other items carefully chosen by the artist to lure people in.

The Seminars Saturday, September 23, was devoted to a series of talks designed to encourage reflection on selected agri-food and visual arts topics. The day was divided into two sessions, with Danyèle Alain (artist and director of 3e impérial) acting as moderator. The theme for the morning session was "The Place of Food in Contemporary Art." Art historian and independent curator Mélanie Boucher discussed the use of shared meals in performative art and described various means of exchange (gifts, barter, sale, etc.). Publisher and art critic Scott Toguri McFarlane spoke on the history of Russia's Vavilov Institute, one of the world's largest seed banks, established in 1894 as the Bureau of Applied Botany and renamed in 1987 for the renowned botanist and geneticist Nikolai Ivanovich Vavilov. Sylvette Babin, artist, writer and director of the magazine *esse arts + opinions*, followed with considerations on the point at which the ingestion of food becomes an artistic gesture, specifically for performance artists.

The afternoon session focused on "Sustenance and Society." Paul Thibault, one of the forces behind the Protec-Terre land trust, presented the community-supported agriculture project Agriculture Écologique Associative (AÉA). Journalist and food columnist Françoise Kayler delivered a talk on the principles of the Slow Food movement. And Maxime Laplante, president of the Union paysanne, wrapped up the day with a look at Quebec's commission on agriculture, a broad-based forum aimed at solving problems related to the agri-food industry.

The Performances Sunday, September 24, was reserved for an afternoon of performances. Thérèse Chabot kicked things off by singing her way into the EXPRESSION gallery robed as a queen. Cups of spicy hot chocolate were handed around, creating a warm, friendly atmosphere conducive to discussion and the recitation of poetry. Outside the Marché Centre, Les Fermières Obsédées ceremoniously took their place among the merchants, attracting and intriguing a crowd before solemnly parading like conquering heroes. Their military-inspired performance, *Le rodéo, le goinfre et le magistrat* [The Rodeo, the Chowhound and the Judge], was aimed at denouncing clichés associated with the role of women. Over at Le Mondor, Aude Moreau had written a statement by Joseph Beuys – "Ego, the I, demands spiritual nourishment from the economy." – on the wall, using flavoured gelatine to form the letters. Her perilous presentation involved climbing up ever-higher stacks of plates in order to eat the words. As the performance progressed, the tension

11. Luce Pelletier
Écorce et anatomie,
2005-2006

and her evident queasiness from consuming too much sugar grew, keeping the audience on the edge of their seats right to the end. Also at Le Mondor, visitors could stop by Karen Tam's Chinese restaurant for a cup of coffee and to chat and play games with the artist and others enjoying a break.

ORANGE 2006 was a diversified event that brought people together to reflect on and discuss a variety of agri-food-related subjects. The six-week-long program addressed these timely topics through wide-ranging artistic disciplines, seminars, performances and satellite activities. For people who were unable to attend, and for those who attended and want to relish the experience anew, this catalogue will bring every facet of a festive, friendly art event to life and provide lasting pleasure.

1. Borrowed from the lyrics of "*La Llorona,*" a popular folk song from the Mexican state of Oaxaca.

Jennifer Angus *Dust to Dust*

Le travail de Jennifer Angus se caractérise par la création de tapisseries composées d'insectes épinglés au mur. L'assemblage de ces spécimens forme des motifs esthétiques qui fascinent d'abord l'œil mais qui, une fois reconnue la nature des matériaux utilisés, peuvent s'avérer repoussants. Pour ORANGE, Jennifer Angus a réalisé une installation *in situ* composée d'insectes provenant de diverses régions du monde. Les insectes étant épinglés cette fois sur une véritable tapisserie représentant le sol et ce qui le compose, l'installation suggérait les cycles biologiques de la chaîne alimentaire, le corps humain devenant, après la mort, nourriture pour les insectes, alors que ceux-ci sont mangés à leur tour par d'autres organismes vivants. L'artiste a incorporé à sa création quelques variétés de miel produites par un apiculteur de la région de Saint-Hyacinthe. *Dust to Dust* permettait entre autres d'examiner la place des insectes en agriculture et de réfléchir sur le rapport ambigu que nous entretenons avec les insectes de ce monde.

Jennifer Angus's work typically takes the form of "bug wallpaper": multitudes of insects pinned to the wall in pleasing patterns that fascinate at first glance but repulse some people as they recognize the component material. For ORANGE, Angus created an *in situ* installation composed of bugs from around the globe. This time the insects were pinned to a wall hanging representing the soil and its components. The installation suggested the biological cycles of the food chain – after death the human body becomes food for insects, which are eaten in turn by other living organisms – and included several varieties of honey produced by a Saint-Hyacinthe-area beekeeper. Titled *Dust to Dust*, it served among other things to examine the role of insects in agriculture and to prompt reflection on our ambiguous relationship with the insect world.

Pistes de lecture Suggested Reading

Opuscule
UMBERGER, Leslie. *Jennifer Angus. Goliathus Hercules*, Sheboygan WI, John Michael Kohler Arts Center, 2004, [12] p.

Périodiques
HEMMINGS, Jessica. « Not so Pretty Paper », *Fiberarts Magazine* [Loveland], vol. 32, n⁰ 3, novembre - décembre 2005, p. 28-33.
FISHER, Joan et Philip PELLITTERI. « Insect Artistry », *Winsconsin Academy Review* [Wisconsin], vol. 49, n⁰ 4, automne 2003, p. 25-32.

Journaux
DAULT, Gary Michael. « Rooms to Make You Bug-eyed », *The Globe and Mail* [Toronto], 31 décembre 2005, p. R10.
PERREAULT, Mathieu. « Tapisseries d'insectes », *La Presse* [Montréal], 25 août 2004, p. 2.

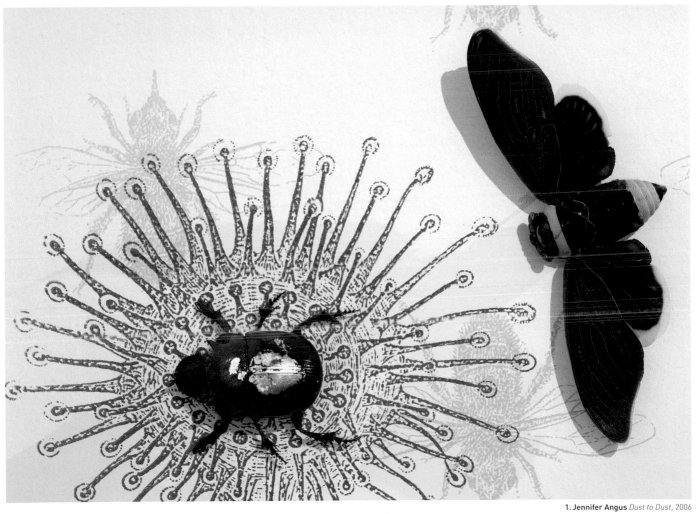

1. Jennifer Angus *Dust to Dust,* 2006

Raul Ortega Ayala *Melting Pots*

À travers ses œuvres, Raul Ortega Ayala s'intéresse aux activités de la vie quotidienne telles le jardinage, la préparation de la nourriture, le travail de bureau, etc. Dans la série *Foodstuff/ Sniffing Glue*, l'artiste s'interrogeait notamment sur le lien entre la nourriture et la construction de l'identité. Interpellé par la notion de cycle, il proposait dans le cadre de ORANGE un projet intitulé *Melting Pots*. Cette installation a été élaborée selon une fiction voulant que des chaudrons et des poêles aient été fabriqués par des compagnies chinoises et indiennes à partir de débris de métaux provenant du World Trade Center, ces débris contenant des substances toxiques. Ces batteries de cuisine auraient été vendues par la suite à travers le monde, notamment au Moyen-Orient. Constituée d'un labyrinthe, l'œuvre comportait des dessins, des photos et une vidéo en lien avec la fabrication de ces chaudrons. Disposés au centre de l'installation, des plats étaient remplis de nourriture pour les visiteurs, le soir du vernissage.

Raul Ortega Ayala brings his art to bear on such everyday activities as gardening, food preparation and office work. In the series *Foodstuff/Sniffing Glue*, he looked at food and how it relates to the construction of identity. At ORANGE, his interest in the notion of cycles was evident in *Melting Pots*. This installation was based on the fabricated story of pots and pans made by Chinese and Indian firms out of toxic scrap metal from the World Trade Center and sold worldwide, notably in the Middle East. Designed as a labyrinth, the work included drawings, photos and a video on the purported manufacture of the cookware. On opening night, dishes of food awaited visitors at the centre of the installation.

Pistes de lecture Suggested Reading

Catalogues
WILSON, Rebecca De Lucca (dir.).
Bureaucratic Sonata,
Londres, Monosablos/Rokeby Gallery,
2006, 64 p.
TUERLINGS, Maria, Pedro BAKKER,
Xandra DE JONGH, QS SERAFIJN,
Onno VAN VELDHUIZEN, *Book Hotel Maria.
Hotel Mariakapel 2006-2003*, Hollande,
Hotel Mariakapel, 2006, 160 p.

2. Raul Ortega Ayala *Melting Pots*, 2006

Gabriel Baggio *Lo Dado*

La nourriture étant au centre de la création de Gabriel Baggio, elle constitue pour lui une expérience particulière qui permet la transmission des traditions à travers les cultures. Le travail de cet artiste argentin s'interroge sur le passage de l'information d'une génération à l'autre et sur la façon dont les traditions sont transmises en tentant de maintenir vivants les rituels culturels. Gabriel Baggio questionne également les intentions de construction des rôles dans la famille, la femme étant auparavant destinée à faire la cuisine et l'homme étant affecté à la production d'ustensiles et d'objets culinaires. *Lo Dado*, l'installation qu'il présentait à ORANGE, témoigne de son intérêt envers le métissage culturel argentin. Lors de la soirée d'ouverture, l'artiste a cuisiné pour les visiteurs trois mets : l'un provenant de la culture de sa grand-mère juive, le second de celle de sa grand-mère italienne et le dernier de sa mère argentine. Une installation, une peinture sur papier, deux photographies ainsi qu'une vidéo de sa performance étaient montrées dans le cadre de l'événement.

The focus of Gabriel Baggio's art is food, which he sees as a singular means of handing down traditions in all cultures. This Argentine artist's work explores the transmission of information from one generation to the next and how traditions are passed along through efforts to keep cultural rituals alive. Baggio also questions the intentions behind the construction of family roles, which formerly confined women to cooking while men produced the utensils and other kitchen items. *Lo Dado*, the installation shown at ORANGE, demonstrated his preoccupation with Argentina's cultural crossbreeding. On opening night he prepared three recipes for visitors: one acquired from his Jewish grandmother, another from his Italian grandmother and the third from his Argentine mother. His full presentation comprised an installation, a painting on paper, two photographs and a video of his performance.

Pistes de lecture Suggested Reading

Catalogues
ALCÁZAR, Josefina et Fernando FUENTES, *Performance y arte-accion en america latina*, Mexico D.F., EXTERESA, 2005.
GONZÁLEZ, Valeria, Patricia HAKIM et Justo Pastor MELLADO, *Intercampos II*, Buenos Aires, Fundación Telefónica de Argentina, 2007.

Opuscules
USUBIAGA, Viviana. *Tu memoria termina justo donde empieza la mia*, Exhibición nº13, ProyectoA, 2004, [4] p.
RIZZO, Patricia et Tatiana SAPHIR. *Nieto*, Exhibición nº 3, ProyectoA, 2002, [12] p.
Périodique
RIZZO, Patricia, « Expresiones de "lo nacional" en el arte contemporáneo argentino », *Arco5. Feria Internacional de Arte Contemporáneo*, 2004.

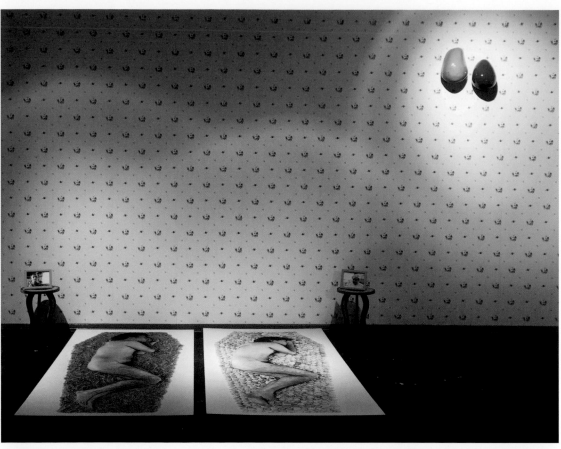

3. Gabriel Baggio *Lo Dado*, 2006

Thomas Blanchard *Fabricated Food*

La pratique artistique de Thomas Blanchard, qui prend en considération des intérêts sociaux et politiques, est caractérisée par la présence du commentaire, de l'ironie et de l'investigation. Dans le cadre de ORANGE, l'artiste proposait la série *Fabricated Food*, composée de treize photographies montrant différentes installations réalisées à partir de produits alimentaires. Ces images étaient accompagnées de renseignements sur les effets de la mondialisation de l'industrie agroalimentaire et sur les répercussions de l'exploitation industrielle de l'environnement. Elles traitaient également des problèmes de santé causés par divers additifs alimentaires, tels les saveurs et les colorants artificiels que l'on retrouve abondamment dans l'alimentation des Nord-Américains. Par ses propos qui manifestent des préoccupations liées à la santé et à l'environnement, l'artiste tend à démystifier l'industrie agroalimentaire nord-américaine. Thomas Blanchard présentait également des images de la série *Fishbowl* qui renvoient, entre autres, à la domestication et au contrôle industriel des animaux à des fins alimentaires.

Reflecting his social and political concerns, Thomas Blanchard's practice is characterized by commentary, irony and investigation. At ORANGE he presented *Fabricated Food*, a series of thirteen photographs of tabletop installations made with edibles. The pictures were accompanied by information on the impact of globalizing agribusiness, the environmental repercussions of industrial farming and health problems caused by additives such as the sweeteners and artificial colours that pervade the North American diet. In addressing health and environmental concerns, the artist seeks to raises the veil on the North American food industry. He also exhibited images from the series *Fishbowl*, which tackles issues including industrial livestock farming.

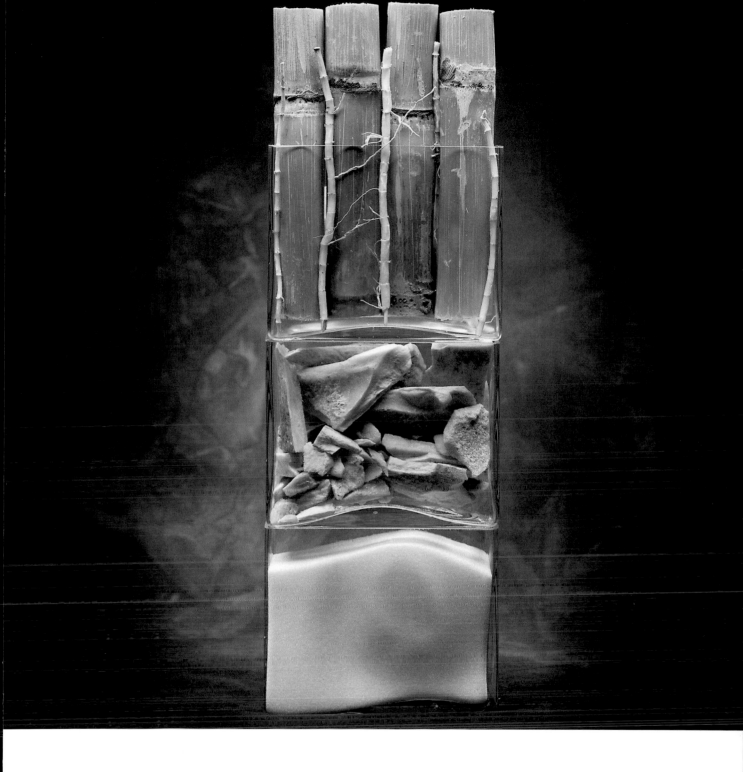

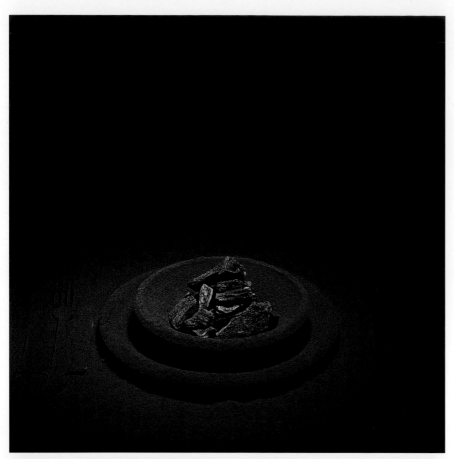

4. Thomas Blanchard de la série *Fabricated Food*, 2004-2006

Thérèse Chabot
Yo soy como el chile verde, llorona, picante pero sabroso

La production artistique de Thérèse Chabot se caractérise principalement par l'installation dans laquelle l'utilisation de fleurs séchées qu'elle a cultivées demeure sa matière première. Depuis les dernières années, l'artiste se met en scène dans des performances théâtrales empreintes d'humour où elle joue sur des archétypes telle sa personnification en reine, évoquant l'importance des femmes dans le monde de l'art et dans la vie quotidienne. Liées au cycle de la vie et de la mort, ses installations éphémères *in situ* témoignent d'un espace sacré et s'inspirent de la géométrie des jardins de la Renaissance française et italienne. *Yo soy como el chile verde, llorona, picante pero sabroso*, [Je suis comme le poivre vert, femme pleurante, chaude mais délicieuse] l'installation conçue pour ORANGE, rappelait les jardins clos du Moyen Âge, ces espaces protégés que l'on faisait pousser à l'intérieur des cloîtres. Des piments, disposés tout autour du jardin, apportaient un côté festif à l'ensemble. Deux grandes photographies étaient incorporées à l'installation et suggéraient l'idée de partage que l'on associe aux repas visant à célébrer des rites de passage.

Thérèse Chabot generally produces installations composed for the most part of flowers that she has grown and dried. A few years ago she began staging herself in humorous theatrical performances that play on archetypes, such as the queen she personifies to signify the importance of women in the art world and everyday life. Alluding to the cycle of life and death and sacred spaces, her ephemeral in situ art reflects the geometric patterns of French and Italian Renaissance gardens. The installation designed for ORANGE – *Yo soy como el chile verde, llorona, picante pero sabroso* [I am like the green pepper, weeping woman, hot but delicious] – recalled the walled gardens of medieval cloisters. A border of colourful peppers lent the space a festive air, and two large photographs suggested the notion of sharing associated with meals served in celebration of rites of passage.

Pistes de lecture Suggested Reading

Écrits de l'artiste
CHABOT, Thérèse. « Entre la générosité du cœur, la fantaisie délirante de la tête et l'inutile nécessaire, ces jardins intemporels : incarnés et célestes », dans CHARBONNEAU, Chantal (dir.). *Art et jardins : nature/culture*, Montréal, Musée d'art contemporain, 2000, p. 47-52.
CHABOT, Thérèse. *Jardins intemporels*, Montréal, 1993, 14 p.

Catalogue
LEIMANIS, Ilga. *The Best Kept Secret in Montreal/Le secret le mieux gardé à Montréal*, Montréal, Leonard & Bina Ellen Art Gallery, 2002, 36 p.

Opuscules
Maison de la culture de Côte-des-Neiges. *Se réunir seul. Les jardinistes.* Espace-projections, Montréal, Ville de Montréal, 1999, [8] p.
POULIN, Daniel. *Les jardins de la mémoire : résidence Art/Nature 1998*, L'Annonciation, Boréal art/nature, 1999, [8] p.

Périodiques
BABIN, Sylvette. « Dossier Montérégie », *esse arts + opinions* [Montréal], n° 38, automne 1999, p. 37-38.
GRANDE, John K. « Thérèse Chabot », *Espace sculpture* [Montréal], n° 49, automne 1999, p. 40-41.

5. Thérèse Chabot *Yo soy como el chile verde, llorona, picante pero sabroso*, 2006

Cooke-Sasseville *Le nouveau monde*

Par sa démarche artistique, le duo Cooke-Sasseville, formé de Jean-François Cooke et de Pierre Sasseville, s'amuse à mettre de l'avant et à interroger les réalités sociales auxquelles nous sommes intimement liées. Pour ORANGE, le tandem présentait *Le nouveau monde*, une fermette constituée de maïs soufflé. Avec ce projet, les deux artistes portaient un discours critique sur les méthodes de production et de conservation en agriculture. Le maïs soufflé agissait alors comme symbole d'une société de surproduction et de surconsommation, ayant comme credo l'instantanéité. Dans cette petite ferme, tous les éléments environnants étaient littéralement envahis, parasités par la surabondance de leur propre production. Les références à la monoculture, à la surproduction et au cycle de la consommation étaient des éléments présents dans ce projet qui se rattachait de près aux enjeux soulevés par ORANGE 2006.

The artistic approach of the Cooke-Sasseville duo – Jean-François Cooke and Pierre Sasseville – attests a gleeful pleasure in pointing up and confronting our social realities. For ORANGE they produced *Le nouveau monde* [The New World], a mini-farm fashioned from popcorn and aimed at sparking concern about agricultural production and conservation practices. The popcorn symbolized the overproduction and overconsumption of a society whose credo is instantaneity. All of the elements in the little farm were literally invaded and parasitized by the overabundance of their own production. References to monoculture, overproduction and the consumption cycle closely linked the project to the issues raised by ORANGE 2006.

Pistes de lecture Suggested Reading

Catalogues
BABIN, Sylvette. *Culture pour tous : dix ans des Journées de la culture*, Trois-Rivières, Éditions d'art Le Sabord, 2007, 72 p.
LAMARCHE, Bernard (dir.). *Manif d'art 2, Bonheur et simulacres*, Québec, Manifestation internationale d'art de Québec, 2004, 332 p.
CHEVALIER, Renée. *Le sacré et le profane. Lassitude, vertu ou la fin des temps*, Laval, Galerie Verticale, 2002, 18 p.

Opuscule
BOUCHER, Mélanie. *Invraisemblable. L'Univers des collectifs*, Rimouski / Saint-Hyacinthe, Musée régional de Rimouski / EXPRESSION, Centre d'exposition de Saint-Hyacinthe, 2002, [6] p.

Périodiques
FISETTE, Serge. « Fascination et controverse. Art et publicité », *Espace sculpture* [Montréal], nº 63, printemps 2003, p. 5-22
MARTEL, Christine. « Le mur des lamentations (ou le comptoir des plaintes) », *Inter Art Actuel* [Québec], nº 86, printemps 2004, p. 26-27.

6. Cooke-Sasseville *Le nouveau monde*, 2006

Marc Dulude *Jardin d'artifices*

La création de Marc Dulude est animée par le désir d'étonner, de distraire, de surprendre et d'amuser. L'impact de l'objet sculptural, obtenu par l'utilisation de couleurs vives et d'éléments du quotidien, est au centre de sa démarche artistique. Les faits, les gestes et les habitudes d'une société sont pour lui des éléments de représentation de la dérision. Pour ORANGE, Marc Dulude présentait une nouvelle version de *Jardin d'artifices*, une installation qu'il avait d'abord réalisée pour l'exposition en duo avec Jérôme Fortin, *La Démesure. Glaneurs contemporains*, au Musée régional de Rimouski en 2003. Ce «jardin» était composé de bouteilles de boisson gazeuse recyclées et de bestioles mécaniques volantes. L'emprise de l'homme sur l'environnement naturel, par sa façon d'exploiter la terre et par ses habitudes de consommation excessive, est un point de vue pertinent à partir duquel cette œuvre peut être perçue. Les notions de collecte et de recyclage y étaient également présentes.

Marc Dulude's art is driven by a desire to astonish, distract, surprise and entertain, and the impact of the brightly coloured sculptural objects he makes from everyday items is central to his approach. In his hands, society's activities and habits serve to represent the absurd. At ORANGE he presented a new version of *Jardin d'artifices* [Garden of Artifice], an installation made for *La Démesure. Glaneurs contemporains*, a two-man show shared with Jérôme Fortin at the Musée régional de Rimouski in 2003. The new "garden" was composed of recycled soft drink bottles and mechanical flying creatures. Human domination of the natural environment in exploiting the land and consuming to excess offered a telling perspective for viewing this work, which also alluded to recovery and recycling.

Pistes de lecture Suggested Reading

Opuscule
BELLEMARE-BRIÈRE, Véronique.
La Démesure. Glaneurs contemporains,
Rimouski, Musée régional de Rimouski, 2003,
[6] p.

Périodiques
«Deux jours pour un convoi», *Espace sculpture*
[Montréal], n° 67, printemps 2004, p. 45.
LEMELIN, Michel. «La fête de l'art»,
ETC Montréal [Montréal], n° 46,
juin — juillet — août 1999, p. 59-63.

Journaux
LAFORGE, Christiane. «Gouttes d'eau sous
observation», *Le Quotidien* [Saguenay/Lac
Saint-Jean], 22 octobre 2005, p. 44.
LAMARCHE, Bernard. «La dure réalité de la
sculpture publique», *Le Devoir* [Montréal],
22 juillet 2005, p. B2.

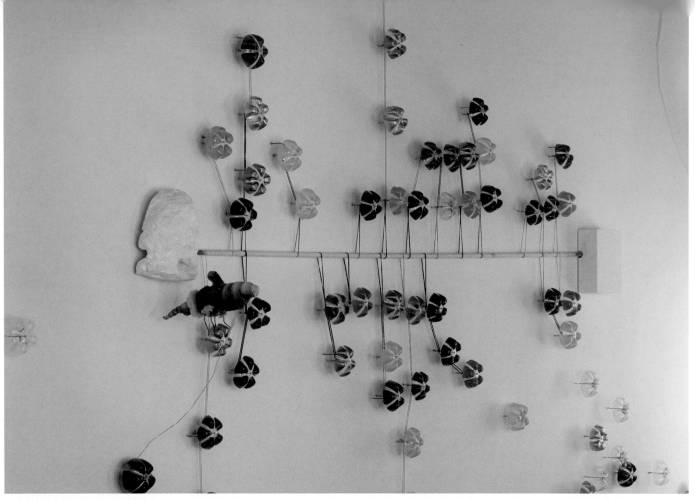

7. Marc Dulude *Jardin d'artifices*, 2006

Renay Egami *Flood*

La pratique artistique de Renay Egami se définit notamment par la création de sculptures, parfois composées d'éléments congelés, et d'installations faisant appel à la vidéo et au son. Intéressée aux mystères non résolus, elle explore, dans ses œuvres, l'idée de la mort et ses fatalités. Ses installations mettent également l'accent sur l'aspect fugace – voire transitoire – de la culture, de l'identité et de la mémoire. Dans le cadre de ORANGE, Renay Egami proposait *Flood*, une installation vidéographique inédite qui représentait, par la forme d'une tête creusée dans un oreiller, la dernière image que l'artiste a gardé de son père défunt. Des bouddhas congelés de différentes couleurs se trouvaient également dans un congélateur, signe de la fragilité des croyances culturelles et religieuses. Cette œuvre traitait également de l'importance des parents dans la transmission de la culture et des croyances, l'artiste faisant un lien entre cet aspect et son pays d'origine, le Japon.

Renay Egami is principally known for sculptural works (some made of frozen food) and audiovisual installations in which she probes unsolved mysteries and explores death and its aftermath. Her installations also speak to the fleeting, transitory aspect of culture, identity and memory. *Flood*, the video installation premiered at ORANGE, featured a pillow with an indentation the shape of a head, the last image she retains of her dead father. Varicoloured frozen Buddha figures in a freezer signified the fragility of cultural and religious beliefs. The work also evoked the importance of parents in transmitting culture and convictions, which the artist relates to her native Japan.

Pistes de lecture Suggested Reading

Opuscule
DEFOREST, Kevin. *Hétérosexy*, Montréal,
Galerie B-312, cahier nº 62, 2002, [4] p.

Périodiques
TOGURI MCFARLANE, Scott. *Public 30 – Eating Things*, Toronto, Public Access, 2004, 223 p.
SNODGRASS, Susan. « Stayin alive »,
Art in America [New York], avril 1999,
p. 81-87.

Journal
PRIEGERT, Portia. « Unsolved Mysteries »,
eVent Magazine [Kelowna], septembre 2004.

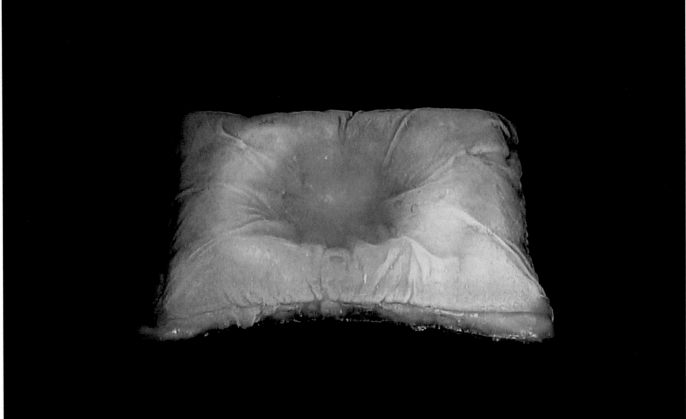

8. Renay Egami *Flood*, 2006

Les Fermières Obsédées *Le rodéo, le goinfre et le magistrat*

Les Fermières Obsédées est un collectif formé de trois artistes : Annie Baillargeon, Eugénie Cliche et Catherine Plaisance. Ce collectif pratique principalement la performance et se caractérise par le kitsch, les uniformes excentriques et les mises en scène absurdes qui se veulent une critique du monde moderne et de la culture de masse nord-américaine. Les trois artistes se produisent souvent dans les marchés publics, les vitrines de grands magasins et les artères commerciales. Se construisant autour d'une réflexion sur les relations entre les individus, leur pratique allie le tragique et le burlesque et rassemble des influences provenant du théâtre, de la danse, de la musique et des arts visuels. Pour ORANGE, elles ont proposé une photographie dans la vitrine d'un disquaire en plus de présenter deux performances intitulées *Le rodéo, le goinfre et le magistrat*. Elles ont notamment dénoncé l'association de l'univers domestique à la femme par l'intégration de la pâte à pain dans leurs manifestations qui avaient des allures militaires.

Les Fermières Obsédées [The Obsessed Farm Women] is a collective of three artists – Annie Baillargeon, Eugénie Cliche and Catherine Plaisance – who work chiefly in performance and use kitsch, eccentric uniforms and nonsensical stagings to critique the modern world and North American pop culture. The trio often performs at public markets, in department store windows and on commercial streets. Grounded in a reflection on human interrelations, their art is a blend of tragedy and burlesque that draws on theatre, dance, music and the visual arts. Their offering at ORANGE consisted of a photograph in the window of a record store and two performances titled *Le rodéo, le goinfre et le magistrat* [The Rodeo, the Chowhound and the Judge]. The use of bread dough in the military-inspired presentations served to denounce the image of women relegated to the home.

Pistes de lecture Suggested Reading

Catalogue
LAMARCHE, Bernard (dir.). *Manif d'art 2, Bonheur et simulacres*, Québec, Manifestation internationale d'art de Québec, 2004, 335 p.

Périodiques
PELLETIER, Sonia. « Vita Activa. Art Action », *Spirale* [Montréal], n° 211, novembre - décembre 2006, p. 12-13.
BABIN, Sylvette. « Des images qui valent plus de 1000 mots », *esse arts + opinions* [Montréal], n° 52. p. 26-27.

Journaux
MAVRIKAKIS, Nicolas. « Femmes au bord de la crise de nerfs », *Voir* [Montréal], vol. 19, n° 23, 9 juin 2005, p. 13.
CANTIN, David. « Fermières à l'œuvre », *Le Devoir* [Montréal], 27 octobre 2001, p. C2.

9. Les Fermières obsédées *Le rodéo, le goinfre et le magistrat*, 2006

Aude Moreau *Tapis de sucre 2*

À travers sa démarche artistique, Aude Moreau utilise les espaces mis à sa disposition et exploite leurs caractéristiques architecturales au maximum. De cette façon, les murs, les planchers, les vides et les pleins font partie intégrante des installations et interventions qu'elle propose. Véritables témoignages révélateurs, ces œuvres portent une attention particulière sur certains comportements des êtres humains. Dans le cadre de ORANGE, Aude Moreau présentait *Tapis de sucre 2*, une installation *in situ* composée de sucre blanc raffiné et de colorant alimentaire. En utilisant le sucre comme matière première de l'objet d'art, elle fait un lien entre cette substance et les notions de confort et de dépendance qui lui sont associées. Sur les murs elle a réalisé une peinture panoramique en noir et blanc de la coupe de la canne à sucre, faisant un lien entre le lieu d'origine de la production de cette matière et le lieu de sa consommation. Se poursuivant dans la fenêtre, où l'on pouvait lire SLAVE CULTURE SAVE REVOLT, l'œuvre créait un jeu entre intérieur et extérieur.

Aude Moreau's approach is to take whatever space she is given and make maximum use of its architectural features, incorporating the walls, floors, voids and masses into her installations and interventions. These enlightening works focus attention on certain aspects of human behaviour. At ORANGE, Moreau showed *Tapis de sucre 2* [Sugar Carpet 2], an *in situ* installation made with refined white sugar and food colouring. The use of sugar as the artwork's raw material connected the sweetener to the commonly associated notions of comfort and dependence. A panoramic black-and-white wall painting of the sugarcane harvest linked the place where sugar is produced to the place where it is consumed. And the window inscribed with the words SLAVE CULTURE SAVE REVOLT created a play between the inside and the outside worlds.

Pistes de lecture Suggested Reading

Catalogue
SPARKES, Colette. « Le fil d'Ariane » dans GAUTHIER, Annie. *Pink Link ou la proposition rose*, Montréal, La Centrale / Powerhouse, Éditions du Remue-Ménage, 2001, p. 28-29.

Opuscule
SCHÜTZE, Bernard. *Le dedans et le dehors de la couleur*, Montréal, Galerie B-312, Cahier n° 83, 2004, [4] p.

Périodique
PELLETIER, Sonia. « Performances à Montréal? », *Inter Art Actuel* [Québec], n° 75, hiver 2000, p. 57.

Journaux
MAVRIKAKIS, Nicolas. « Aude Moreau. Art déco », *Voir* [Montréal], vol. 18, n° 11, 18 mars 2004, p. 14.
BOUCHARD, Julie. « Festival Art Action Actuel. Corps et femmes », *Le Devoir* [Montréal], 18 octobre 1999, p. B8.

10. Aude Moreau *lapis de sucre 2*, 2006

10. Aude Moreau *From Footh to Mouth*, 2006

Luce Pelletier *Écorce et anatomie*

Par l'entremise de ses œuvres, Luce Pelletier s'interroge essentiellement sur le rapport de l'humain à la nature et crée des objets hybrides en faisant usage d'éléments de la nature, comme les végétaux, à partir desquels elle réalise ses installations et photographies. Pour ORANGE, Luce Pelletier proposait *Écorce et anatomie*, une installation où des mains cousues comme des gants et confectionnées à partir de feuilles de hêtre ainsi que des torses fabriqués avec des branches de saule reposaient sur des tables lumineuses, rappelant l'univers d'un laboratoire. Le passage de la lumière à travers ces objets fragiles et diaphanes révélait leurs nervures et présentait la matière végétale comme métaphore de la peau. Les visiteurs pouvaient également apprécier la beauté de ces objets par les représentations photographiques que l'artiste en avait faites, les montrant comme sujet photographié ou comme organe radiographié, tel un corps humain.

With humans' relationship to nature as a key focus, Luce Pelletier's installations and photographs feature the hybrid objects she creates from plants and other natural materials. In *Écorce et anatomie* [Bark and Anatomy], the installation shown at ORANGE, glove-like hands fashioned from finely stitched beech leaves and torsos composed of willow branches were displayed on light tables, recalling the atmosphere of a laboratory. The light passing through these fragile, diaphanous objects revealed their veins, making the plant matter a metaphor for skin. The beauty of the objects was also evident in photographs, where the artist portrayed them as one would a sitter, or like the X-rayed organs of a human body.

Pistes de lecture Suggested Reading

Opuscule
PRIEGERT, Portia. *Nature, Land, Laboratory : Biogenetic Landscapes*,
Kelowna, Colombie-Britannique, Alternator Gallery for Contemporary Art, 2003, [4] p.

Périodiques
GEORGES, Karoline. « Dualités, Duplicités », *Vie des Arts* [Montréal], n° 205, hiver 2006-2007, p. 66-67.
DUMONT, Jean. « Le rêve éveillé »,
Parcours, l'informateur des arts [Saint-Alphonse-Rodriguez], vol. 6, n° 1, hiver 2000, p. 21.

Journal
TÉTREAULT, Myriam. « Voir la nature autrement », *Mobiles* [Saint-Hyacinthe], n° 13, mai 2005. p. 15.

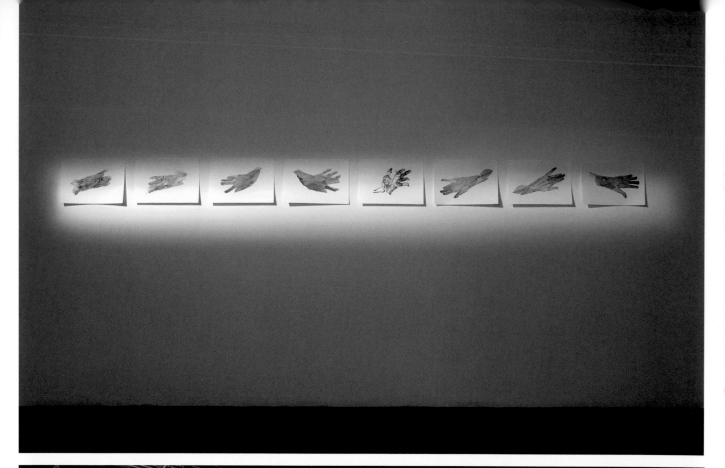

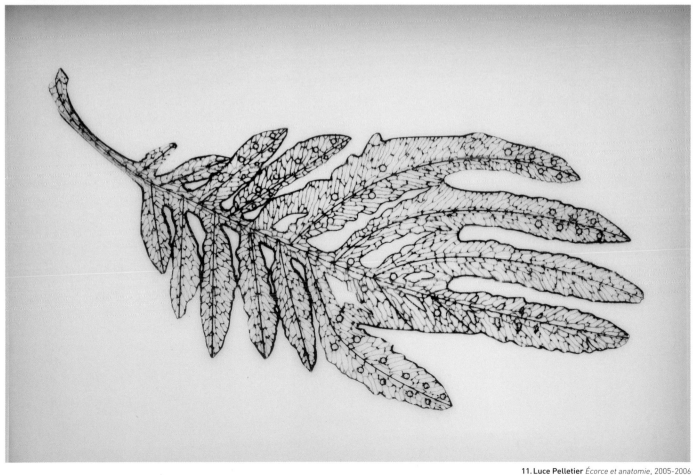

11. Luce Pelletier *Écorce et anatomie*, 2005-2006

Marc-Antoine K. Phaneuf *Grosse poutine*

Par sa démarche, Marc-Antoine K. Phaneuf engage une réflexion sur l'acte artistique et pose un regard critique sur le statut de l'artiste. Il utilise la vidéo comme médium artistique, mais aussi comme témoin privilégié de l'art de la performance. Avec *Grosse poutine*, une œuvre vidéo à plan fixe et unique réalisée pour ORANGE, Marc-Antoine K. Phaneuf se mettait en scène en se gavant de fast-food. On y voyait l'artiste qui mange une poutine, pendant trente minutes, le tout accompagné d'une trame sonore grinçante. De manière ironique, il faisait ainsi passer le phénomène nutritionnel à l'acte artistique. Avec cette production, l'artiste démontrait que le choix de notre régime alimentaire est intimement lié aux phénomènes culturels. De plus, par un plan-séquence fixe et par l'utilisation de l'image en noir et blanc, il faisait référence à la naissance de la vidéo d'art, un médium à mille lieux de ses fondements initiaux.

Through his work, Marc-Antoine K. Phaneuf inquires into the artistic act and casts a critical eye on the status of the artist. He uses video as an artistic medium but also as a means of capturing performance art. In *Grosse Poutine* [Large Poutine], a single-shot video work produced for ORANGE, he stages himself wolfing down fast food. Accompanied by a rasping soundtrack, he appears shovelling in poutine [gravy-covered French fries and cheese curds] for a full half hour, ironically recasting the nutritional act as artistic act. Phaneuf designed this production to demonstrate the close link between our dietary choices and cultural phenomena. The absence of editing and the use of black and white additionally recall the birth of video art, a medium now light years beyond.

Pistes de lecture Suggested Reading

Écrit de l'artiste
PHANEUF, Marc-Antoine K. *Fashionably Tales. Une épopée des plus brillants exploits*, Montréal, Le Quartanier, 2007, 200 p.

Catalogues
LOUBIER, Patrice (dir.). *Manif d'art 3, Cynismes?*, Québec, Manifestation internationale d'art de Québec, 2007, 248 p.
SIROIS, Dominique. *Art contemporain : la fin de la subversion*, mémoire de Maîtrise en Étude des arts, Montréal, UQAM, automne 2007.

Périodiques
MARCEAU, André. « Sept cent quatre-vingt-deux parsecs. Marc-Antoine K. Phaneuf », *Inter Art actuel* [Québec], n° 96, printemps 2007, p. 77.
BOUCHARD, Marie Ginette. « Dis-moi ce que tu manges, je te dirai qui tu es! », *Vie des arts* [Montréal], n° 204, automne 2006, p. 30.
TOURIGNY, Manon. « Ceci n'est pas une plaisanterie : l'irrévérence chez les QQistes », *esse arts + opinions* [Montréal], n° 56, hiver 2006, p. 43-47.

LE BAR
À POUTINE

· · · · · · · Fièrement offert par · · · · · · · ·

MARC-ANTOINE K. PHANEUF *ET* MARC-ANTOINE K. PHANEUF
CONTEMPORARY ART   QQISTE

LE 8 SEPTEMBRE 2006

· · · · · · · · · Dans le cadre d' · · · · · · · · ·

ORANGE

UNE DÉLICIEUSE MOUTURE DE FROMAGE, SAUCE BRUNE
ET CHAMPAGNE À AVALER CUL-SEC

12. Marc-Antoine K. Phaneuf *Grosse poutine*, 2006

Karen Tam *Jardin Chow Chow Garden*

Karen Tam s'interroge sur la façon dont la culture chinoise est perçue en Amérique du Nord. Souvent des voies d'accès à la culture asiatique, les restaurants chinois que l'on retrouve en grande quantité en territoire nord-américain ne sont pourtant pas représentatifs de cette culture. Ces endroits n'étant pas des répliques fidèles de ceux qui existent en Chine, l'artiste propose donc des installations qui reconstituent des « restaurants chinois américanisés ». Par cette démarche, elle veut démontrer que ces établissements sont des créations qui visent à séduire une clientèle qui se complaît dans une perception hollywoodienne de la Chine. Ses installations intègrent une dimension politique et une quête d'identité culturelle. Il est également important pour l'artiste de prendre en considération la relation avec l'autre à travers ses œuvres. *Jardin Chow Chow Garden* est la réplique d'un restaurant chinois occidental qu'elle a créé au centre-ville de Saint-Hyacinthe pour ORANGE.

Karen Tam explores the way Chinese culture is perceived in North America, where innumerable "Chinese" restaurants supposedly open a door to Asian culture. In actual fact, they have little in common with the real thing. By replicating the Americanized versions, Tam's installations aim to reveal these establishments as fabrications designed to please a clientele steeped in Hollywood's vision of the Orient. Her work is infused with a political dimension and a quest for cultural identity; it also addresses the notion of relationships to others. For ORANGE she created an imitation Westernized Chinese restaurant in downtown Saint-Hyacinthe called *Jardin Chow Chow Garden*.

Pistes de lecture Suggested Reading

Catalogues
MING WAI JIM, Alice (dir.). *Redress Express*, Vancouver, Vancouver International Centre for Contemporary Asian Art, 2007, 20 p.
BELU, Françoise, Marcel BLOUIN, Sylvie LACHANCE et Day's LEE. *Karen Tam : Gold Mountain Restaurant Montagne d'Or*, Montréal, MAI (Montréal, arts interculturels), 2006, 76 p.

Périodique
TEMPLE, Kevin. « Noodling Installation. Karen Tam Meditates on the History of the Chinese in Canada », *Now Magazine*, *Online Edition* [Toronto], vol. 25, n° 46, 13-19 juillet 2006.

Journaux
GODDARD, Peter. « Sweet-sour Memories at Shangri-La Café », *Toronto Star* [Toronto], 22 juillet 2006, p. H7.
DELGADO, Jérôme. « Le restaurant chinois », *La Presse* [Montréal], 17 juin 2004, p. LP29.

13. Karen Tam *Jardin Chow Chow Garden*, 2006

Eve K. Tremblay *Tales Without Grounds* et *Postures Scientifiques*
Images tirées de ces séries

La production photographique d'Eve K. Tremblay se situe entre la réalité et la fiction, s'inspirant entre autres de la littérature et du domaine scientifique, et est empreinte de théâtralité. Les photographies qu'elle propose offrent souvent un intéressant jeu de regards entre le spectateur et le sujet photographié. Pour ORANGE, l'artiste présentait des images tirées des séries *Tales without Grounds* et *Postures scientifiques*. Marquées par une importante narration, ces images représentaient des scientifiques dans une serre hydroponique et à l'Institut de biologie moléculaire des plantes de Strasbourg. À la vue de ces mises en scène improbables, le visiteur pouvait noter des incohérences dans les gestes, les habits ou l'attitude des scientifiques. Images énigmatiques et sans explications fixes, les questions restaient en suspens, ouvrant la voie à maintes interprétations de la part des spectateurs. Un lien affectif pouvait également être décelé entre ces personnes et les objets manipulés, les pousses et les salades étant traitées avec autant de soin et d'attention que si elles étaient des bébés.

Reality meshes with fiction in Eve K. Tremblay's photographic work, which draws on sources ranging from literature to science and conveys a sense of theatricality. Her photographs often lead to intriguing eye contact between the viewer and the subject. At ORANGE she presented selections from the series *Tales Without Grounds* and *Postures scientifiques*. These strongly narrative images depict scientists in a hydroponic growing facility and at the Institut de biologie moléculaire des plantes in Strasbourg. Visitors viewing the improbable dramatizations were struck by inconsistencies in the scientists' actions, garments or attitudes. But their questions remained unanswered: the enigmatic, unexplained pictures left the door open to endless interpretation. There also seemed to be an emotional connection between the figures and the handled objects, with the tender sprouts and lettuces treated as carefully and gently as newborns.

Pistes de lecture Suggested Reading

Catalogues
FRASER, Marie (dir.). *Explorations narratives/Replaying Narrative*, Montréal, Le Mois de la Photo à Montréal, 2007, 400 p.
CAMPBELL, James D., Justin HOFFMAN, Eduardo RALICKAS. *Eve K. Tremblay. Tales Without Grounds*, Longueuil/Strasbourg, Plein sud, Centre d'exposition en art actuel à Longueuil/CEEAC, Centre Européen d'Actions Artistiques Contemporaines, 2005, 64 p.

Périodiques
BAILLARGEON, Christiane. « Eve K. Tremblay. Portraits-paysages », *Vie des Arts* [Montréal], n° 208, automne 2007, p. 65-68.
CAMPEAU, Sylvain. « Eve K. Tremblay. Parfums d'histoire », *ETC Montréal* [Montréal], n° 78, juin — juillet — août 2007, p. 52-55.

Journaux
CHARRON, Marie-Ève. « La nuit américaine », *Le Devoir* [Montréal], 15 septembre 2007, p. E10.
MAVRIKAKIS, Nicolas. « Eve K. Tremblay. Science et vie », *Voir* [Montréal], 19 avril 2007, p. 16.

14. Eve K. Tremblay De la série *Tales Without Grounds*, 2005

Women With Kitchen Appliances *WWKACOMO*

Women With Kitchen Appliances est un collectif féminin présentant des performances qui exploitent les capacités sonores des outils et des objets que l'on retrouve dans les cuisines. Reliés à l'univers domiciliaire de la femme depuis longtemps, ces objets culinaires sont détournés de leurs fonctions originelles pour être recyclés en véritables instruments musicaux grinçants. Les artistes créent des environnements vibrants et des symphonies avec des gants de latex, des petits électroménagers et une panoplie d'objets culinaires. Leurs manifestations marient le kitsch et le ludique. Depuis sa création, le collectif a livré des performances dans différents lieux : sur scène et en galerie, mais aussi à l'intérieur de tentes, de lofts et d'appartements privés. Dans le cadre de ORANGE, les WWKA ont offert aux visiteurs présents le soir du vernissage une performance intitulée *WWKACOMO*.

Women With Kitchen Appliances is a female collective whose performances play on the sounds of kitchen tools and articles. Long relegated to the feminine world of domesticity, the culinary objects are diverted from their original functions and recycled as (gratingly) musical instruments. The artists create vibrant environments and symphonies with rubber gloves, small appliances and a panoply of cooking implements. Since forming the collective, they have taken their blend of mirth and kitsch to stages and galleries, but also to tents, lofts and private apartments. At ORANGE, WWKA gave a performance titled *WWKACOMO* on opening night.

Pistes de lecture Suggested Reading

Catalogue
LOUBIER, Patrice et Anne-Marie NINACS (dir.). *Les Commensaux. Quand l'art se fait circonstances / When Art Becomes Circumstances*, Montréal, Centre des arts SKOL, 2001, 248 p.

Périodiques
SIOUI DURAND, Guy. «Praticiens férus de l'art action», *Inter Art Actuel* [Québec], n° 93, printemps 2006, p. 60-65.
CHARRON, Marie-Ève. «Expérience de l'intime et autres rendez-vous urbains», *esse arts + opinions* [Montréal], n° 50, p.72-75.

Journaux
MAVRIKAKIS, Nicolas. «HTMlles 8», *Voir* [Montréal], vol. 21, n° 41, 11 octobre 2007, p. 16.
PAPINEAU, Philippe. «Guides d'exploration musicale», *Le Devoir* [Montréal], 14 septembre 2007, p. B5.
DELGADO, Jérôme. «Les collectifs féminins. Un art féministe par ricochet», *La Presse* [Montréal], 6 mars 2004, p. 2.

15. **Women with Kitchen Appliances** *WWKACOMO*, 2006

Les textes - Texts

Marcel Blouin
Eve-Lyne Beaudry
Catherine Nadon
Mélanie Boucher
Sylvette Babin
Scott Toguri McFarlane

3. Gabriel Baggio *Lo Dado*, 2006

Marcel Blouin
D'Orange et de valeurs

Lors de la soirée d'ouverture de l'événement ORANGE, dans une galerie d'art, un artiste et son assistante offrent aux convives des verres remplis d'un mélange inhabituel : du champagne, du fromage en grains et de la sauce brune. À boire d'un seul trait nous suggère l'auteur de ce traumatisme garanti, Marc-Antoine K. Phaneuf. Ingurgiter le mélange demande un certain courage. Que cette mixture vous ébranle est voulu par l'artiste, un peu comme s'il nous rappelait que nous, les Québécois, sommes aujourd'hui partagés entre l'envie du champagne et celui de la poutine, entre le raffinement et le goût du populaire.

Dans une atmosphère festive, les gens, nombreux, ont aussi mangé des plats préparés par un Argentin, et d'autres, plus piquants, par un Mexicain. Le visuel nous remplissait les yeux, les odeurs des plats cuisinés sur place, nos narines, et les sons amplifiés des électroménagers, nos oreilles. Comme des hédonistes confortablement installés dans un faux restaurant chinois, les invités échangeaient, écoutaient, regardaient, reniflaient et mangeaient. Le ton de l'événement était donné.

ORANGE 2006. Deux constats qui s'imposent Des œuvres de ORANGE 2006 émergent des dénominateurs communs en partie prévisibles au moment de sélectionner les artistes, certes, mais là n'est pas une raison pour se priver d'un regard posthume sur la rencontre de ces pratiques installatives. En effet, l'un des impératifs bénéfiques de ce type d'événement présentant des œuvres éphémères, c'est de pouvoir se prononcer une fois les œuvres installées et, après la tenue de l'événement, de nous donner le recul nécessaire à l'élaboration d'un ouvrage qui en relate les faits marquants.

En ce qui concerne le texte qui suit, notons que l'essentiel de mon propos réside dans l'observation et l'analyse de deux constats.

Constat n° 1. Une affaire de sens/L'installatif Dans *La Saveur du Monde. Une anthropologie des sens*, David Le Breton démontre fort éloquemment que « Nos sociétés occidentales valorisent de longue date l'ouïe et la vue, mais en leur donnant une valeur parfois différente et en dotant peu à peu la vue d'une supériorité qui éclate dans le monde contemporain [2]. » En somme, Le Breton réaffirme la place centrale du regard telle une constante de la civilisation occidentale. Cette suprématie du visuel se vérifie et s'ancre solidement dans notre perception du monde au *quattrocento* avec le développement des principes de la perspective. Cette vision autoritaire du monde –la perspective linéaire– mettra cinq siècles avant d'être ébranlée, avec l'avant-garde du XXe siècle. Pour Kant, idem, nous résume Le Breton : le sens de la vue, bien qu'il ne soit pas plus important que celui de l'ouïe, est cependant le plus noble car, de tous les sens, c'est celui qui s'éloigne le plus du toucher, qui constitue

Dis-moi ce que tu manges, je te dirai ce que tu es [1].
Brillat-Savarin
(1755-1826)

la condition la plus limitée des perceptions. Allant dans la même veine, rappelons-nous Hegel qui, dans son Esthétique, considère que les sens du toucher, de l'odorat et du goût sont inaptes à fonder des œuvres d'art. Trop peu spirituels, trop proches de l'animal.

Or, les artistes qui traitent du thème de l'agroalimentaire dans leurs réalisations font appel aux différents sens comme peu d'autres le font aujourd'hui, comme peu d'artistes le faisaient auparavant. Rejetant la hiérarchisation des sens[3], ces artistes vivent comme des sensualistes[4] avertis, cherchant à transmettre des émotions/réflexions aux spectateurs par la voie des sens, les leurs et ceux des spectateurs. Avec ORANGE 2006, la réception par le spectateur fait appel au sens de la vue, certes, mais aussi à celui de l'odorat, du toucher, du goûter et, parfois, de l'ouïe.

Constat n° 2. Une affaire de morale Tels des adeptes du sensualisme, les artistes actuels intéressés par les habitudes alimentaires nous convoquent à une rencontre où l'on parle de morale : voilà la principale hypothèse à vérifier. Cette morale – ou éthique[5] –, tel que nous l'entendons, fait partie de la philosophie pratique pour laquelle le problème fondamental est celui de la destination de l'homme dans le monde. Cette philosophie pratique se présente comme une réponse à la question : « Que dois-je faire ? » par opposition à la philosophie théorique qui se demande : « Que puis-je connaître ? » Le but de la philosophie pratique est d'indiquer aux hommes les conditions (sociales, économiques, politiques et morales) qui leur permettront de tendre vers un mieux-être. Et c'est dans cet esprit que nous, les commissaires de ORANGE 2006, avons développé cet événement faisant appel à la participation de quinze artistes du Québec, du Canada et de l'étranger.

Pour être plus précis, notons que, si le premier constat est facile à vérifier, le deuxième, plus riche et plus complexe, exige quant à lui un examen approfondi. Précisons aussi que la morale fera ici l'objet d'une analyse orientée, c'est-à-dire que je chercherai intentionnellement à identifier la part d'éthique qui se trouve dans chacune des œuvres pour mieux développer mon propos. Ce qui ne veut pas dire que c'est là la meilleure façon d'accéder à l'œuvre.

Les propositions des artistes Au-delà d'une évidence voulant que l'installatif et le performatif prennent une place importante dans les démarches contemporaines faisant référence à l'alimentation, je me contenterai de faire de courtes observations pour chacune des œuvres, action qui, souhaitons-le, ne réduira en rien la richesse des réalisations pour la plupart polysémiques. Cet exercice vise en fait à isoler une dominante dans ce flot d'odeurs et de concepts. Faire appel à ces deux termes, *odeurs et concepts*, n'est pas le fruit du hasard ; ce n'est donc pas à un rejet de l'art en tant que construction mentale auquel nous assistons avec ORANGE 2006, mais plutôt à un recentrage entre ces pôles, la sensualité et l'intellect, que nous avons malencontreusement pris l'habitude d'opposer.

Comme la présence de préoccupations morales recouvrant les œuvres, voire l'ensemble de l'événement, constitue une hypothèse des plus intéressantes[6], je tâcherai principalement de vérifier si et en quoi une morale se dégage des propositions de chacun des artistes. En somme, il s'agit de vérifier si nous sommes là en présence d'un effet global identifiable ; ce qui ne serait pas surprenant, après tout, puisque le thème de départ qui recouvrait le choix des commissaires était COMO COMO, ce qui signifie entre autres : *Comment je mange.*

Avec les séries photographiques *Tales Without Grounds* et *Postures scientifiques*, Eve K. Tremblay incarne bien l'idée de *questionnements moraux* en nous donnant à voir des scientifiques qui concoctent des salades parfaitement identiques, reproduites à des milliers d'exemplaires, dans d'immenses serres où l'on fait appel aux technologies les plus avancées et à la culture hydroponique. Faut-il se réjouir de cette tendance à produire des laitues si belles à regarder? Faut-il les manger ou les admirer? Est-ce qu'on peut utiliser le terme naturel pour qualifier ces végétaux? Doit-on s'y opposer ou est-ce là dans l'ordre des choses?

14. Eve K. Tremblay
De la série
Tales Without Grounds,
2005

Toujours avec le médium photographique, Thomas Blanchard prend clairement position avec la série *Fabricated Food*. On trafique aujourd'hui la nourriture et c'est dangereux, affirme-t-il. Dans son cas, le questionnement éthique bascule rapidement vers le rejet et mène logiquement à l'engagement politique. Cette approche dénonciatrice de nos mœurs postmodernes, on la retrouve aussi chez les Fermières Obsédées et chez le groupe Women With Kitchen Appliances (WWKA), mais d'une tout autre manière.

Au-delà du plaisir qui nous envahit en écoutant/regardant les performances visuelles et sonores des WWKA, il y a, immanquablement, ce regard critique porté sur les stéréotypes féminins. Est-ce le fait qu'elles répètent des gestes quotidiens sans aucun rictus sur le visage, on ne sait trop, mais à l'écoute de cette musique réalisée à l'aide d'électroménagers, on ne peut que constater la futilité de nos vies d'Occidentaux. De cette démarche, il est donc possible de tirer des questions d'ordre éthique comme: Pourquoi mangeons-nous de cette façon? Avons-nous l'obligation sociale d'être en santé? Que faisons-nous de nos vies?

9. Les Fermières Obsédées
Le rodéo, le goinfre et le magistrat,
2006

Les Fermières Obsédées, pour continuer dans la même direction, appuient plus fortement encore sur le *comment* nous nous alimentons. Sous les yeux d'un public incrédule, tout près d'un accès au Marché-Centre de Saint-Hyacinthe, la préparation, la consommation et la transformation des pâtes, lourdes et molles, ont un impact indéniable sur le public. Cette pâte, elles se l'introduisent à l'intérieur de leurs vêtements, ce qui les rend grotesques, obèses. Leur maquillage dégoulinant et, encore ici, l'absence totale de sourires, rendent la scène insupportable de vérité. Ces gestes nous choquent parce qu'ils symbolisent parfaitement nos comportements de consommateurs de *pâtes molles*, qui avec le temps nous ramollissent, nous alourdissent.

Marc-Antoine K. Phaneuf nous rappelle également la présence d'une nourriture qui aura tôt fait d'augmenter notre charge pondérale, mais pour sa part il ennoblit le propos en jumelant le champagne à la poutine. Est-ce bon, est-ce bien de manger de la poutine ? Est-ce préférable de boire du champagne ? Est-ce pensable de mélanger ces deux substances ? Qui a le droit de porter un jugement sur l'amateur de champagne, ou sur le mangeur de poutine ? Sommes-nous là en train d'aborder le sujet des classes sociales et de la nourriture ? Avons-nous tous les moyens de consommer des intrants de qualité à haute teneur jouissive ?

Deux œuvres, quant à elles, ont savamment jumelé les notions de *cycle et de morale*, celles d'Aude Moreau et de Raul Ortega Ayala

Avec *Sugar Carpet 2*, Aude Moreau nous propose un tapis de sucre, tout blanc, ornementé en son contour d'un motif noir et rouge. Le trompe-l'œil fonctionne au point où certains visiteurs marchent dans le sucre. De ce tapis, qui impose le respect, se dégage une douce lumière. *Sweet*. Sur les murs, des images contrastées de champs de canne à sucre. Des mots sont inscrits dans la fenêtre adjacente, visibles de l'intérieur et de l'extérieur : SLAVE CULTURE SAVE REVOLT. Quatre mots dont les associations par paires nous interpellent, nous interrogent. *Une culture de l'esclavage ? Une révolte à préserver ?* Des gens travaillent comme des esclaves pour nous approvisionner d'un intrant qui, surconsommé, nous empoisonne. Quel non-sens. Les lois aveugles du marché, j'en comprends, nous conduisent parfois à des résultats combinés insoutenables : ESCLAVAGE/OBÉSITÉ[7].

Avec son installation labyrinthique intitulée *Melting Pots*, Raul Ortega Ayala nous révèle ce qu'il est advenu des débris de métal du World Trade Center (WTC) suite aux événements du 11-Septembre. S'appuyant sur des faits rapportés dans les journaux asiatiques, l'artiste fait le postulat que le métal du WTC a été transformé en casseroles par des entreprises chinoises et indiennes, puis vendues à travers le monde, y compris au Moyen-Orient. Chacun peut en tirer ses propres conclusions mais, de toute évidence, un constat s'impose : comme le cycle des saisons, comme le cycle de la nourriture, le monde est devenu un village où tout est relié et cyclique.

Karen Tam et Gabriel Baggio tiennent aussi un discours qui ne va pas sans rappeler cette volonté de rapprocher des peuples qui se méconnaissent, voire se méprisent. En attirant notre attention sur les habitudes alimentaires de nomades malgré eux, ces artistes aussi, comme Ayala, nous rappellent qu'on ne peut aborder le thème de l'alimentation sans faire allusion aux mouvements migratoires des objets, des personnes et des habitudes culinaires à travers le temps et l'espace.

Avec Karen Tam, jeune artiste asiatique montréalaise, nous sommes nombreux à être tombés sous le charme. Pensant qu'il y avait un nouveau restaurant à Saint-Hyacinthe, des clients incrédules, ou trop crédules, insistaient pour se faire servir. En effet, Karen Tam crée de faux restaurants chinois. Faux dans la mesure où l'on ne sert pas de repas dans son *Jardin Chow Chow Garden*. Faux, aussi, parce que dans nos restaurants chinois au décor inspiré du cinéma hollywoodien, la nourriture servie n'a rien à voir avec celle que l'on consomme en Chine. Au-delà de la fascination, cette démarche artistique, résolument contemporaine par son caractère installatif, nous rappelle notre méconnaissance des autres cultures et, disons-le, notre ethnocentrisme.

Gabriel Baggio, d'Argentine, m'a raconté comment son grand-père, souffrant de la faim, avait quitté sa terre natale, après la Première Guerre mondiale. Ce matin-là, dans un port du sud de l'Italie, il y avait deux bateaux sur le point de partir. L'un avait Montréal pour destination, l'autre, Buenos Aires. Ne sachant trop où aller, il a pris une pièce de monnaie et il a confié sa destinée au hasard. Baggio, petit-fils d'immigrant italien, est aujourd'hui Sud-Américain, résultat d'une pièce de monnaie qui est tombée du côté du soleil. L'œuvre de cet artiste présentée dans ORANGE réfère aux plats que préparaient sa mère et ses grands-mères. Sa démarche consiste, entre autres, à cuisiner les plats préférés de ces femmes : les *fideos cortados a cuchillo a la bolognesa* de la grand-mère italienne, les *barenikes* de la grand-mère polonaise et les *milanesas con pure* de sa mère, née en Argentine. L'artiste prépare ces plats qu'il offre aux convives pendant les vernissages. Il propage des odeurs dans l'espace, puis il laisse des traces de son passage : des chaudrons mal récurés, des assiettes dont les croûtes séchées retroussent, une vidéo qui témoigne de ses gestes.

L'installation *Le nouveau monde* de Cooke-Sasseville, d'abord amusante aux yeux du spectateur, nous rappelle clairement l'omniprésence de la culture du maïs, en particulier dans la région de Saint-Hyacinthe. Sous un éclairage jaune, d'un bout à l'autre, tout est recouvert de pop-corn : sol, bovins, coqs surdimensionnés, brouette, etc. Installation convaincante, cette interprétation d'une réalité envahissante nous fait sourire et grincer des dents à la fois. Quant à l'odeur persistante du pop-corn, elle recouvre l'ensemble des œuvres d'une dominante impossible à chasser[8].

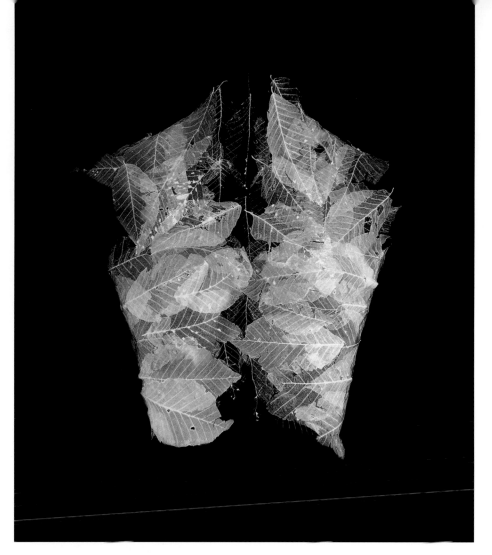

11. Luce Pelletier
Écorce et anatomie,
2005-2006

Comme pour l'installation de Cooke-Sasseville, nous sommes d'abord happés par la dimension ludique de l'œuvre intitulée *Jardin d'artifices* de Marc Dulude. Dans cette forêt enchantée aux multiples composantes en mouvement et entièrement conçue de matériaux synthétiques, nous éprouvons un plaisir certain à déambuler. Toutefois, un regard critique permettra de voir dans cette œuvre la perte de contact direct avec la nature. Au regard des gamins qui planent joyeusement dans cet espace artificiel, on peut se demander : ces enfants, ont-ils parfois l'occasion de planer sous les feuilles d'une véritable forêt? Et si la réponse est non, aurons-nous l'audace de nous demander si les enfants doivent encore avoir un contact avec la nature pour se réaliser?

C'est ce contact avec la beauté de la nature que nous propose Luce Pelletier, avec *Écorce et anatomie*. Malgré la bêtise humaine, existe encore et toujours cette beauté intrinsèque des végétaux. Ces œuvres esthétiquement séduisantes nous invitent à célébrer les fondements de la vie. Or, un doute nous saisit à la vue de ces célébrations de la nature : Est-il encore possible de célébrer ce qui est naturel sans se questionner sur les pressions qu'on exerce aujourd'hui sur cette même nature?

8. Renay Egami
Flood, 2006

De cette démarche mettant en évidence les beautés de la nature, il n'y a qu'un pas à faire pour vivre une relation harmonieuse avec le monde qui nous entoure. Et c'est ce que nous propose l'installation *Yo soy como el chile verde, llorona, picante pero sabroso* de Thérèse Chabot. Nul conflit, nulle contradiction, nulle frustration, nulle violence ne sont compatibles avec ces pétales finement disposés sur le sol, au centre de la salle d'EXPRESSION. Sérénité, circularité, biomorphie, contemplation, paix intérieure, voilà qu'on nous propose de vivre en harmonie avec les autres. Quête spirituelle.

De façon tout aussi évidente, l'œuvre de Renay Egami fait appel à l'aspect éphémère de la réalité terrestre. Symboliquement très efficaces, les petits bouddhas de glace que l'on découvre en soulevant le couvercle d'un congélateur nous rendent pensifs dans la pénombre, respectueux, silencieux. La lumière, la glace, le froid, et ce temps qui ne cesse de s'écouler... occasionnant inévitablement la disparition, le vieillissement, la mort.

Logeant à la frontière de la sérénité et de l'inquiétude, entre l'attirance et la répulsion, l'œuvre de Jennifer Angus nous rappelle, dans le contexte de l'événement ORANGE, que les insectes font partie de la chaîne alimentaire. Or, l'insecte, dans le contexte d'une agriculture industrielle, est considéré comme un ennemi à exterminer. Pour y parvenir, on applique des produits de synthèse connus sous l'appellation d'*insecticides*. Qu'il ait quatre ou mille pattes, l'insecte est probablement l'être vivant que l'humain souhaite le plus voir mourir, quitte à dérégler l'équilibre de la chaîne alimentaire, et quitte à mettre en péril la santé des humains puisque ces insecticides s'écoulent dans les rivières... où s'abreuvent humains et animaux.

Conclusion Après cette analyse orientée des œuvres, nous constatons que les hypothèses formulées au début de ce texte sont non seulement toutes les deux vérifiables par la positive, mais aussi, qu'elles sont intimement liées. En bref, remarquons que les artistes de ORANGE 2006 font appel aux sens et traitent de morale[9]. Vous l'aurez compris, il s'agit d'une quête du bonheur par les sens. Et dans cette quête du bonheur, on reconnaît le respect des cultures, la protection de la nature, la nécessité de se rendre compte *que tout est relié, et que si l'on chie dans sa soupe, ça goûtera mauvais.*

Une fois cette observation établie, maintenant que cette *quête du bonheur par les sens* a été identifiée, la question suivante qui nous vient à l'esprit se formule ainsi : Les artistes actuels participent-ils à un plus vaste mouvement qui consiste à réhabiliter l'importance des sensations dans toutes les sphères d'activité, tout en faisant la démonstration d'une nouvelle morale, cette fois en marge de Platon, de l'Église et de l'économie de marché ?

Est-ce là peu de choses que ces questions ? Que non. Ce n'est pas rien, cette page d'histoire de l'art que nous vivons. La fin de la suprématie du sens de la vue dans l'art actuel appelle une réhabilitation du sensualisme, auquel se rattachent des préoccupations morales qui favorisent, cette fois-ci, une recherche du plaisir.

1. Jean Anthelme Brillat-Savarin, *Physiologie du goût*, Paris, Flammarion, 1981, p. 19. Pour se familiariser avec l'origine de la gastronomie au début du XIXe siècle, il faut lire cet ouvrage.

2. David Le Breton, *La Saveur du Monde. Une anthropologie des sens*, Paris, Éditions Métailié, 2006, p. 38.

3. En somme, la hiérarchisation des sens en Occident se lit à peu de choses près comme suit, du plus important au plus négligeable – selon la pensée dominante héritée de Platon en passant par l'Église romaine : la vue, l'ouïe, le goûter, le toucher et finalement l'odorat.

4. Cette notion de *sensualiste*, que j'utilise ici librement, provient de Bonnot de Condillac (1715-1780), plus précisément de son ouvrage *Traité des sensations*, Paris, Fayard, [1754], 1984. Celui-ci fait des sensations la seule source de connaissances ; pour lui, la transformation des sensations expliquerait toute chose : la mémoire, la réflexion, le raisonnement ; l'individu est une somme de sensations à un moment donné.

5. Dans ce texte, je n'essaierai pas de distinguer les notions de *morale* et d'*éthique*. Je les considère ici comme des synonymes. Sachons cependant que Michel Foucault fait la distinction entre ce qui serait intériorisé par l'individu et ce qui est imposé de l'extérieur.

6. Il s'agit en effet d'une observation importante dans la mesure où c'est là que se trouve fort probablement la mission profonde de cet événement d'art actuel qui en était à sa deuxième édition en 2006.

7. Cela me rappelle que, jusque dans les années 1970, le Québec produisait encore de la betterave à sucre dans la région de Saint-Hyacinthe. Puis nous avons laissé tomber cette culture locale pour un produit à meilleur marché. SLAVE CULTURE.

8. Le maïs, aujourd'hui solidement intégré dans le cycle de la filière porcine, nous le transformerons bientôt en un carburant pour véhicules routiers, quitte à affamer des peuples qui se nourrissent de cette denrée.

9. Il s'agit en fait d'une nouvelle morale, d'une autre morale, d'un nouvel amalgame de valeurs. L'Église n'a pas le monopole de la morale. Trop longtemps, nous avons pensé que la morale était toute entière issue de l'Église. Il s'agit là tout simplement de la morale chrétienne, en marge – au-dessus, en arrière, au-devant, en dessous – de laquelle peuvent s'inscrire d'autres morales : épicurienne, hédoniste, écologiste, humano-écologiste, ou toute autre combinaison de valeurs existante ou à inventer.

Marcel Blouin
Orange and Values

Translated by Marcia Coüelle

At the opening soirée of ORANGE, in an art gallery, an artist and his assistant offered around glasses of an unusual drink: champagne, cheese curds and gravy. "Down it in one gulp," suggested the creator of the startling recipe, Marc-Antoine K. Phaneuf. Swallowing the concoction took a fair bit of courage. But if the mixture was shocking, it was by design, as if to remind us that we Quebecers are now torn between a fondness for champagne and a fondness for poutine, between refinement and down-home comfort.

Tell me what you eat: I will tell you what you are. [1]
Brillat-Savarin
(1755-1826)

The festive crowd also got to taste dishes prepared by an Argentine artist and spicier foods made by an artist from Mexico. A profusion of sights filled our eyes, the aromas of cooking filled our noses, and the amplified sounds of kitchen appliances filled our ears. Like hedonists comfortably seated in a mock Chinese restaurant, the guests chatted, listened, looked, sniffed and ate. The tone of the event was set.

ORANGE 2006: Two fundamental findings Some of the common denominators that emerge from the works presented at ORANGE 2006 were foreseeable at the time the artists were chosen, but that does not preclude a look back at our encounter with these installation practices. In fact, one of the beneficial imperatives of events of this sort is the opportunity to comment when the ephemeral artworks are installed and then again after the close of the event, with the knowledge of hindsight needed to develop a publication that recounts its highlights.

In the following text, the essence of my argument lies in the observation and analysis of two findings.

Finding No. 1: A Matter of Sense/Installation Art In *La Saveur du Monde. Une anthropologie des sens* [The World's Flavour: An Anthropology of the Senses], David Le Breton eloquently demonstrates that "our Western societies have long valued hearing and sight, while sometimes assigning them different values and gradually conferring on sight a superiority that has flourished in the contemporary world. [2]" In short, Le Breton reaffirms the centrality of the gaze as a constant of Western civilization. The supremacy of the visual emerged in the *Quattrocento* with the development of the principles of perspective and took solid root in our perception of the world. This authoritarian view – linear perspective – held firm sway for five centuries, until roundly shaken by the avant-garde movements of the twentieth century. Kant, says Le Breton, espoused this view, arguing that sight, while no more important than hearing, is nonetheless nobler, since, of all the senses, sight differs most from touch, the most limited perceptual faculty. In the same vein, Hegel, in *Aesthetics*, pronounces the senses of touch, smell and taste to be unfitting bases for works of art: not spiritual enough, too animal-like.

Now, artists who deal with the agri-food theme engage the senses like few others do today, or have done in past. Rejecting all hierarchical ranking of the senses[3], they live like informed sensualists[4], seeking to convey emotions/reflections by means of the senses, theirs and those of their audience. At ORANGE 2006, viewer reception involved sight, of course, but also smell, touch, taste and, at times, hearing.

Finding No. 2 : A Matter of Morality Like true sensualists, present-day artists with an interest in eating habits summon us to encounters that raise moral questions: That is the main hypothesis to be verified. Morality – or ethics[5] – as understood here, is integral to practical philosophy, for which the fundamental issue is humankind's purpose in life. Contrary to theoretical philosophy, which asks, "What can I know?", practical philosophy can be seen as an answer to the question "What should I do?" The aim of practical philosophy is to enlighten society about the conditions (social, economic, political and moral) that will enable it to move towards a greater good. And it is in this spirit that I and the other curators of ORANGE 2006 developed the event, inviting the participation of fifteen artists from Quebec, elsewhere in Canada and other countries.

More specifically, while the first finding is easily verifiable, the second, which is richer and more complex, requires a thorough examination. I should also point out that the notion of morality will be subjected to directed analysis here; in other words, I will deliberately attempt to identify the ethical aspect of each artwork in order to bolster my argument – which is not to say that this is the best way to grasp the work.

The artists' offerings Beyond the obvious observation that installations and performances play a large part in contemporary practices referencing food, I will limit myself to brief comments on each of these mostly polysemous creations, trusting that this will in no way detract from their rich significance. My intent is to isolate a predominant factor in the flood of odours and concepts. And if I speak of "odours" and "concepts," it is not by chance. For what we see with ORANGE 2006 is not a rejection of art as a mental construct but a re-centring between the poles of sensuality and intellect, which we misguidedly tend to view as incompatible.

Because the notion of moral concerns overlying the artworks, and indeed the entire event, is a very interesting hypothesis, I will mainly attempt to determine if and how morality emanates from each artist's offering.[6] In short, the aim is to verify the existence of an all-embracing identifiable effect. Such an effect would not be surprising, since the initial theme that guided the curators' choices was COMO COMO, which, in one sense, translates to "how I eat."

With the photographic series *Tales Without Grounds* and *Postures scientifiques* (Scientific Stances), Eve K. Tremblay exemplifies the concept of *moral questioning* in pictures of scientists concocting perfectly identical lettuces, reproduced by the thousands, using leading-edge technologies in vast hydroponic greenhouses. Are we supposed to rejoice at the trend to produce such lovely lettuces? Are we supposed to eat them or admire them? Can the word "natural" be used to describe these plants? Should we oppose this approach, or is it in the order of things?

Thomas Blanchard likewise uses the photographic medium to take an unequivocal stand in the series *Fabricated Food*. Food is being tampered with nowadays, he says, and this is dangerous. In his case, ethical questioning quickly turns to rejection and logically leads to political commitment. This denunciatory approach to our postmodern mores also fuels the work of Les Fermières Obsédées (The Obsessed Farm Women) and Women With Kitchen Appliances (WWKA), but in a very different way.

The pleasure that comes with seeing/hearing WWKA's audiovisual performances is inevitably attended by a critical look at female stereotypes. Is it the fact that they repeat everyday acts without cracking a smile? Perhaps, but anyone listening to this music made with kitchen appliances cannot help but recognize the futility of Western lifestyles. This approach can thus be seen to pose questions of an ethical nature, such as, Why do we eat this way? Do we have a social obligation to stay healthy? What are we making of our lives?

Les Fermières Obsédées (The Obsessed Farm Women) work in the same vein, but with even greater emphasis on *how* we feed ourselves. Under the incredulous eyes of a crowd, near one of the entrances to Saint-Hyacinthe's public market, they prepared, ate and transformed heavy, soggy dough. Onlookers were stunned. Stuffing the dough into their clothing, they became grotesque, obese. Their running make-up and, here again, total absence of smiles made the scene unbearably realistic. The reason we find these gestures shocking is that they epitomize our behaviour as consumers of *soggy dough*, which, over time, makes us flabby and overweight.

Another reminder of food sure to pack on pounds was provided by Marc-Antoine K. Phaneuf, although he elevated the matter by combining the poutine (French fries, cheese curds and gravy) with champagne. Is it correct to eat poutine? Is it preferable to drink champagne? Is it thinkable to mix these two substances? Who has the right to judge champagne lovers, or poutine eaters? Are we on the subject of social class and food here? Does everyone have the means to consume high-quality, high-pleasure inputs?

Two works that learnedly coupled the notions of *cycle* and morality were those by Aude Moreau and Raul Ortega Ayala.

For *Sugar Carpet 2*, Aude Moreau covered an area with pure white sugar decoratively edged in black and red. The illusion of a carpet was so artful that some visitors stepped on it. The carpet glowed with a soft, sweet radiance that commanded respect. *Sweet.* But on the walls were contrasting pictures of sugar cane fields. And on the adjacent window, visible from inside and outside, were the words SLAVE CULTURE SAVE REVOLT. Four words in pairs, calling out, questioning: *A slave culture? A revolt to save?* People work like slaves to supply us with an input that, when overconsumed, poisons us. How absurd. The blind laws of the market, it seems, sometimes lead us to untenable combinations, such as SLAVERY/OBESITY.[7]

With his labyrinthine installation *Melting Pots*, Raul Ortega Ayala revealed the fate of scrap metal from the World Trade Center (WTC), post-September 11. Drawing on reports in Asian newspapers, the artist postulated that metal from the WTC was transformed into pots and pans by Chinese and Indian firms and then sold around the world, including in the Middle East. Some may draw different conclusions, but one finding is evident: like the seasonal cycle, and the food cycle, the world has become a village where everything is linked and cyclical.

Karen Tam and Gabriel Baggio similarly demonstrate a will to bring together peoples who misunderstand or even disdain each other. By drawing attention to the eating habits of unwilling nomads, they, like Ayala, remind us that the discussion of food would not be complete without allusion to the migratory movements of objects, people and culinary habits through time and space.

I and many others were charmed by the work of Karen Tam, a young Montreal artist of Asian origin. Believing that a new restaurant had opened in Saint-Hyacinthe, incredulous, or overly credulous, "clients" came in to be served. But Tam creates fake Chinese restaurants: fake in the sense that no meals were served at her *Jardin Chow Chow Garden*; and fake because the food served in North American Chinese eateries with Hollywood-inspired décors is nothing

3. Gabriel Baggio
Lo Dado, 2006

like what people eat in China. In addition to being fascinating, this resolutely contemporary – in that it involves installations – artistic practice underscores our ignorance of other cultures and, it must be said, our ethnocentrism.

Gabriel Baggio, from Argentina, told me about his hungry grandfather's departure from his native land, after World War I. That morning, he found two ships about to weigh anchor in the southern Italian port: one heading for Montreal and the other for Buenos Aires. Not knowing how to choose, he flipped a coin and entrusted his fate to chance. Today, Baggio, the grandson of an Italian immigrant, is South American, all because of a coin that fell "sunny-side" up. The work he presented at ORANGE refers to the culinary traditions of his mother and grandmothers and involves, among other things, preparing their favourite recipes: his Italian grandmother's *fideos cortados a cuchillo a la bolognesa*, his Polish grandmother's *barenikes* and his Argentine-born mother's *milanesas con pure*. The artist cooks the dishes and offers them to guests at exhibition openings. He fills the space with aromas, and then leaves traces of his intervention behind: unscrubbed pots and pans, crusted plates, and a video recording of the event.

Although at first glance amusing, Cooke-Sasseville's installation *Le nouveau monde* [The New World] was a stark reminder of how corn farming has become omnipresent, particularly in the Saint-Hyacinthe region. Lit all in yellow, the entire piece was smothered in popcorn: floor, oxen, oversized roosters, wheelbarrow, etc. This compelling installation interpreting an invasive reality had viewers smiling and gritting their teeth at the same time. And the smell of popcorn clingingly pervaded the entire venue.[8]

As with the Cooke-Sasseville installation, visitors were initially struck by the playful dimension of Marc Dulude's work titled *Jardin d'artifices* [Garden of Artifice]. Strolling in this enchanted forest of multiple moving components made entirely of synthetic materials was a pleasure, but a critical gaze revealed the loss of direct contact with nature. Watching youngsters frolicking in this artificial space, I wondered, Do these children ever have the opportunity to play beneath the leaves of a real forest? And if not, will we have the audacity to ask whether children still need contact with nature to be fulfilled?

Contact with nature's beauty is what Luce Pelletier puts forward in *Écorce et anatomie* [Bark and Anatomy]. Despite human stupidity, the intrinsic beauty of plants lives on and on. Her aesthetically seductive creations invite us to celebrate the foundations of life, but on seeing these hymns to nature I was struck by doubt: Can we still celebrate the natural world without questioning ourselves about the pressures we are putting on nature today?

5. Thérèse Chabot
*Yo soy como el chile verde,
llorona, picante pero sabroso,*
2006

This focus on the beauties of nature naturally led me to experience a harmonious relationship with the world that surrounds us. And I found it in the installation *Yo soy como el chile verde, llorona, picante pero sabroso* [I am like the green pepper, weeping woman, hot but delicious] by Thérèse Chabot. No conflict, no contradiction, no frustration, no violence could be compatible with the myriad of petals artfully scattered on the floor, in the middle of the EXPRESSION gallery. Serenity, circularity, biomorphs, contemplation, inner peace. A call to live in harmony with others. A spiritual quest.

Renay Egami's work addressed the ephemeral aspect of earthly reality in an equally evident way. Lifting the top of a freezer chest, visitors discovered potently symbolic little Buddha figures, made of ice, which left them thoughtful and respectfully silent in the shadowy space. The shadowy light, the ice, the cold and the never-ending flow of time ... inevitably leading to disappearance, aging, death.

Poised between serenity and anxiety, attraction and repulsion, Jennifer Angus's work for ORANGE reminded us that insects are part of the food chain. Yet in the industrial farming context, insects are viewed as enemies to be exterminated, and to this end we apply synthetic products known as *insecticides*. Whether four-legged or hundred-legged, insects are no doubt the living things that humans most want to see dead, even at the cost of upsetting the food chain and endangering human health, since insecticides drain off into rivers that provide drinking water for humans and animals.

Conclusion The directed analysis of these works leads me to conclude that the two hypotheses formulated at the outset of this article are not simply confirmed but also closely connected. In short, the ORANGE 2006 artists draw on the senses and deal with morality.[9] This, as you will have understood, is a quest for happiness via the senses. And in this quest for happiness, we see the respect of cultures, the protection of nature, and the need to be aware that *everything is connected and that, if you shit in your soup, it will taste bad.*

With that observation made and the *quest for happiness via the senses* identified, the next question that comes to mind is this: Are today's artists part of a vast movement to rehabilitate the status of sensations in all areas of activity, while demonstrating a new morality that skirts Plato, the Church and the market economy?

Are these questions trivial? Not at all. We are living an important page of art history. The end of sight's supremacy in present-day art calls for the restoration of sensuality and of related moral concerns that, this time, favour a quest for pleasure.

1. Jean Anthelme Brillat-Savarin, *The Physiology of Taste* (London: Penguin Classics, 1994), p. 13. This 1825 treatise, originally published in French as *Physiologie du goût*, offers an in-depth look at the origin of gastronomy in the early nineteenth century.

2. David Le Breton, *La Saveur du Monde. Une anthropologie des sens* (Paris: Éditions Métailié, 2006), p. 38.

3. Following the dominant thinking handed down from Plato and through the Roman Catholic Church, the Western world generally ranks the senses as follows, from most to least important: sight, hearing, taste, touch and smell.

4. The notion of *sensualist*, used freely here, originated with Étienne Bonnot de Condillac (1715-1780), who argued that sensations are the sole source of knowledge; in his view, everything is explained by the transformation of sensations: memory, ideas, reasoning, the individual is a sum of sensations at a given moment. See *Condillac's Treatise on the Sensations*, trans. G. Carr (London: Favil Press, 1930), originally published in French as *Traité des sensations* in 1754.

5. I do not attempt to differentiate the notions of *morality* and *ethics* in this article, where I consider them synonyms. It bears noting however, that Michel Foucault distinguishes between that which is interiorized by the individual and that which is externally imposed.

6. This is an important observation insofar as the primary mission of our contemporary art event, held for the second time in 2006, is most likely rooted in this notion.

7. I am reminded that sugar beets were grown in the Saint-Hyacinthe region of Quebec until the 1970s, at which point local cultivation was abandoned in favour of a cheaper product. SLAVE CULTURE.

8. Corn, already a mainstay of the pork-producing cycle, will soon be routinely transformed into fuel for road vehicles, even if it means starving peoples for whom this commodity is a source of sustenance.

9. In fact, this is a new morality, another morality, a new amalgam of values. The Catholic Church does not have a monopoly on morality. For too long we believed that all morality derived from the Church. But this is merely Christian morality, in whose margins – above, behind, before, beneath – other moralities can exist: epicurean, hedonistic, ecological, human-ecological, or any other combination of existing or still-to-be-invented values.

Eve-Lyne Beaudry
Fiel Orange. De l'ambivalence esthétique

Ce que je souhaite développer dans cet essai concerne la réception de certaines œuvres qui ont composé cette deuxième édition de ORANGE. Plus précisément, je m'attarderai sur les impressions ambivalentes ressenties au moment de leur expérience esthétique, soit la divergence entre ce que ces œuvres donnent à voir dans l'immédiat et la portée discursive qu'elles suggèrent ensuite. Je pense ici en particulier aux œuvres de Jennifer Angus, de Thomas Blanchard, du duo Cooke-Sasseville, de Marc Dulude et d'Aude Moreau.

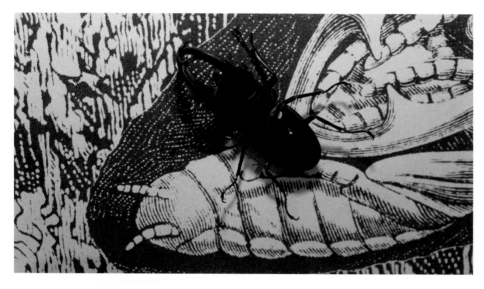

1. Jennifer Angus
Dust to Dust, 2006

L'idée avait d'abord germé lors des recherches initiales sur l'œuvre de Jennifer Angus, renchérie par la considération du titre de l'exposition que le Textile Museum of Canada consacrait à l'artiste en 2005 : *Terrible Beauty*. Depuis qu'elle utilise des insectes comme matériau de création, un pan de l'œuvre d'Angus fonctionne sur une logique conflictuelle qui tient dans la coexistence du rapport contradictoire de l'attraction et de la répulsion : « Jennifer Angus a un goût pour le grotesque, le menaçant et le beau. Toutes ces sensations ambiguës existent chez les insectes et, donc, l'ancienne artiste textile a choisi d'utiliser les bestioles comme médium[1]. » Dans ses installations, les insectes épinglés au mur qui forment des motifs dupliqués dans l'espace sont pourvus d'une fascinante beauté, les formes et les couleurs qui les distinguent exerçant en effet sur nous un fort pouvoir d'attraction. Or, ces mêmes insectes sont aussi perçus par plusieurs comme d'abjectes créatures répugnantes, ressentiment éprouvé par bon nombre d'individus entretenant un rapport de terreur avec ces bestioles. L'œuvre *Dust to Dust* conçue pour ORANGE inspirait également cette tension esthétique à un autre niveau. Angus y explorait le rapport que l'homme et les insectes entretiennent dans leur cycle alimentaire respectif : certains insectes participent des denrées alimentaires des humains, tant par leur chair que par les substances qu'ils produisent (suggéré par l'empilement des pots de miel au centre de l'installation) ; l'homme, quant à lui, peut servir d'aliment aux insectes qui s'abreuvent de son sang, se délectent de sa peau ou de son corps putréfié (tel qu'évoqué par les motifs de larves sous terre dans la partie inférieure du papier peint de l'installation). Bien que ces rapports cycliques tiennent lieu « d'échanges de bons procédés », le rapport insecte/nourriture est rarement vu d'un bon œil dans notre culture occidentale où l'on associe généralement ces bestioles à la malpropreté. Il est donc très difficile de concevoir cette réciprocité d'une façon appétissante.

Cette idée du « paradoxe esthétique » semblait par la suite se mouler tout naturellement à plusieurs œuvres présentées dans ORANGE, dont *Fabricated Food* de Thomas Blanchard. Les treize photographies couleur qui composent cette série revêtent chacune une esthétique propre à l'image publicitaire. Leur traitement formel attire le regard et incite à la contemplation. Elles mettent en vue des aliments dans des compositions formelles recherchées, près, il faut le dire, d'un certain maniérisme. Se détachant sur un fond noir, le motif des images (une goutte de lait en suspension, une tablée d'un rouge éclatant, un saumon enveloppé d'un filet bleu royal, les strates vivement colorées de l'intérieur d'un chou, etc.) est mis en valeur par un éclairage dirigé qui confère à l'illustration une ambiance théâtrale. Le rendu photographique est glacé, rappelant le fini lustré des pages de magazine. En somme, ce sont des images alléchantes qui concourent à la valorisation du produit montré. Or, le pouvoir d'attraction de ces photographies est tout à fait rebroussé par les préoccupantes questions qu'elles soulèvent. À titre d'exemple, le texte accompagnant l'œuvre *Milk*, dont le motif de la goutte en suspension nous met l'eau à la bouche par son aspect onctueux, nous informe que l'utilisation d'hormones de croissance permettant à la vache de produire davantage de lait constitue un risque pour la santé chez les humains en plus de causer des infections au pis de l'animal. Ces images qui adoptent la logique publicitaire des entreprises du secteur de l'alimentation fonctionnent tel l'effet aseptisant des emballages que l'on retrouve dans les épiceries qui camouflent, en réalité, tous les dessous de l'industrie agroalimentaire.

L'œuvre que le duo Cooke-Sasseville a réalisée pour ORANGE 2006 intitulée *Le nouveau monde* implique également une logique antagonique dans sa réceptivité, mais fonctionne, elle, sur le mode du ludique. Cette stratégie, souvent teintée d'ironie, fait appel à l'amusement, à la drôlerie, à l'absurde et à l'excès afin d'infiltrer le discours d'une critique dérisoire de la réalité. Comme l'a souligné Marie Fraser, commissaire de l'exposition *Le ludique*, qui a réfléchi sur ce thème dans l'art contemporain : « le jeu [...], s'il est une activité libre, sentie comme fictive, ne se situe pas pour autant en dehors de la réalité, au contraire, les artistes explorent le sens du quotidien, du commun, du familier, pour retourner la réalité la plus ordinaire, voire la plus cruelle[2]. » L'installation de Cooke-Sasseville présentait une fermette à l'intérieur de laquelle deux bovins grandeur nature ainsi que des cygnes et des coqs surdimensionnés étaient complètement recouverts de maïs soufflés. De couleur maïs, leur pâturage était lui aussi enseveli de « popcorn » dont l'odeur flottait partout dans l'espace du Mondor. Pénétrer cet environnement surréaliste faisait au premier abord sourire en raison de l'apparente absurdité de la scène causée par le trop-plein de maïs éclatés. Néanmoins, ce spectacle de l'excessif

était en réalité bien peu égayant puisque, au-delà de cette scène enivrante, la référence à l'agriculture intensive était flagrante. Elle pointait en particulier la monoculture du maïs qui ne cesse d'augmenter au Québec, entraînant avec elle des effets néfastes tant en ce qui a trait au cycle naturel de l'environnement, à la biodiversité, qu'à l'érosion des sols et au déversement des pesticides dans les eaux. *Le nouveau monde* de Cooke-Sasseville, pertinemment d'actualité, était d'autant plus désolant qu'il s'insérait directement dans le contexte socio-économique de la ville d'accueil de ORANGE où la culture du maïs représente la plus importante activité agricole.

L'œuvre *Jardin d'artifices* que Marc Dulude a recréée pour cette deuxième édition de ORANGE comportait également cette stratégie du ludique et la présence d'une ambiguïté esthétique. Le «jardin» qui compose l'installation de Dulude est formé de plusieurs centaines de culs de bouteille de plastique aux couleurs diverses déposés au sol et imitant ainsi l'aspect de fleurs. L'œuvre, prenant place dans une atmosphère plutôt sombre, s'éclairait d'elle-même avec des lumières dissimulées à l'intérieur de longs tubes de tissus blancs fixés au plancher et au plafond qui tenaient lieu d'arbres luminescents. Un parcours dessiné à travers cet Éden en plastique, ponctué d'insectes volants robotisés et de fleurs mécanisées fixées au mur, permettait au visiteur de se balader dans ce jardin pour le moins fantastique. L'immersion dans l'œuvre étonnait, tant par la prise en considération de la quantité innombrable d'éléments au sol que par l'aspect clinquant qu'avait pris cette matière si familière. L'expérience de l'œuvre procurait en ce sens une certaine «allégresse réceptive», terme emprunté à Sylvie Janelle qui, à ce propos, explique qu'«une grande partie du ravissement de l'acte réceptif survient lors de la reconnaissance de ce qui dans la banalité du quotidien nous échappe et que l'on retrouve teinté de fantaisie dans les œuvres[3].» Ce ravissement ressenti devant l'œuvre de Dulude était néanmoins partagé avec une certaine consternation, puisque l'image de l'abondance florale basculait vers celle, toute différente, de l'amoncellement de rebuts, témoin de la consommation démesurée qui est l'apanage de notre mode alimentaire actuel. L'apparence si coquine des fleurs bricolées faisait dès lors place à la littéralité de l'objet déchet, où l'idée du jardin est renversée par celle du dépotoir en débordement que le sol n'est plus à même de contenir.

L'allégresse réceptive que je viens tout juste d'aborder était également manifeste dans l'œuvre d'Aude Moreau, une version revisitée de son *Tapis de sucre*. L'ouvrage d'un blanc éclatant était fort attrayant, mais c'est une fois l'illusion du tapis brisée, lors de la reconnaissance de la matière qui le compose, que la «délectation visuelle» était à son plus haut niveau. Ceci dit, cette installation d'Aude Moreau comportait elle aussi une forte dialectique esthétique qui tenait dans la considération de la matière même qu'est le sucre. Cette substance alimentaire d'une agréable saveur nous transporte d'abord dans l'univers alléchant de la friandise, de la gâterie sucrée, bref du plaisir gustatif qu'elle nous procure. Néanmoins, il est difficile de faire abstraction d'une connotation plus négative de cette substance lorsqu'on remarque les illustrations peintes sur les murs de l'installation qui représentent des travailleurs dans les champs de canne à sucre. La culture de cette denrée, bien que déjà associée à un lourd passé colonial et esclavagiste, demeure encore aujourd'hui l'un des seuls refuges pour des populations pauvres qui se retrouvent confrontées à des conditions de travail des plus difficiles. L'inscription «SLAVE CULTURE SAVE REVOLT», peinte dans la fenêtre attenante à l'installation, rendait d'autant plus évidente la référence à cette triste réalité économique et sociale.

À la suite de ces considérations au sujet du paradoxe esthétique perceptible dans les œuvres ici traitées, il m'a semblé qu'il existait une certaine résonance avec le rapport que nous entretenons avec la nourriture dans notre mode de vie actuel, thème spécifique à ORANGE sinon de l'édition 2006. Cet état d'ambivalence se retrouve en mon sens dans plusieurs aspects de notre vie, et particulièrement en ce qui concerne notre relation à l'alimentation : à la surexploitation agricole et à la surabondance des denrées pour plusieurs individus se mêle une famine qui règne sur un grand nombre de populations à travers le monde ; nous appuyons en majorité les bienfaits de la culture biologique sur la santé, de même que les effets bénéfiques de la production équitable sur les conditions de vie des agriculteurs, mais tous ne sont pas prêts à débourser les montants excédents qu'ils engendrent, perpétuant de la sorte la dominance des grandes industries dont les produits sont généralement plus abordables ; nous reconnaissons tous la recrudescence de l'obésité, surtout chez les jeunes, pourtant, nous servons toujours des aliments pauvres dans les écoles ; notre conscience environnementale et citoyenne nous place en désaccord avec la gestion mercantile des industries agroalimentaires, alors qu'à l'opposé, notre conscience économique et sociale ne peut ignorer les nombreux emplois qu'elles procurent et le fait qu'elles représentent souvent un fort moteur économique pour les régions dans lesquelles elles sont implantées ; etc. En somme, les œuvres de ORANGE abordées ici sont marquées par une ambiguïté et une ambivalence, celles-là mêmes qui marquent notre existence, et qui s'inscrivent dans notre façon contemporaine de vivre le quotidien.

1. Kate Reagan, «Terrible Beauty», *Yoursource Magazine*, Automne 2005, p. 57 (traduction libre).

2. Marie Fraser, *Le ludique*, Musée national des beaux-arts du Québec, Québec, 2001, p. 12.

3. Sylvie Janelle, Isabelle Lelarge et Yvan Moreau, «Les délectations», *ETC Montréal* (hors série), 2002, p.[1].

Eve-Lyne Beaudry

All That Is Orange Is Not Sweet: On Aesthetic Ambivalence

Translated by Marcia Coüelle

My purpose with this essay concerns viewer reception of certain artworks shown at the second edition of ORANGE. Specifically, I will consider the ambivalent impressions occasioned by their aesthetic experience; in other words, the disparity between what they manifest at the moment of viewing and the discursive scope of what they subsequently suggest. I refer, in particular, to the works of Jennifer Angus, Thomas Blanchard, Cooke-Sasseville, Marc Dulude and Aude Moreau.

1. Jennifer Angus
Dust to Dust, 2006

This idea emerged during my initial research into the work of Jennifer Angus and grew as I pondered the title of her 2005 exhibition at the Textile Museum of Canada: *Terrible Beauty*. Ever since Angus adopted insects as creative material, much of her art has operated on a conflicted logic that derives from the contradictory relationship between attraction and repulsion: "Jennifer Angus has a taste for the grotesque, the menacing and the beautiful. All these ambiguous thrills exist in insects, and so the former textile artist has turned to using bugs as her medium."[1] In her installations, the insects pinned to the walls in repeated patterns possess a fascinating beauty, with distinctive shapes and colours that exert a potent appeal. Yet many viewers see these insects as abject, disgusting creatures, a feeling widely shared by people phobic about bugs. *Dust to Dust*, the installation designed for ORANGE, induces an aesthetic tension at another level as well. Here Angus explores the relationship between humans and insects in their respective food cycles: some insects are involved in the human diet, either directly or via substances that they produce (suggested by the pile of honey pots at the centre of the piece); inversely, humans can provide nourishment for insects that drink their blood or feast on their skin or putrefied bodies (as suggested by the patterns of underground larvae in the lower part of the installation wallpaper). Although these cyclical relationships are in fact trade-offs, the insect/food connection is seldom viewed kindly in Western culture, which tends to associate bugs with filth. As a result, it is very difficult to conceive this reciprocity in an appetizing way.

Subsequently, the notion of "aesthetic paradox" seemed to lend itself quite naturally to several other works seen at ORANGE, including Thomas Blanchard's *Fabricated Food*. Each of the thirteen colour photographs of this series reflects the aesthetics of advertising imagery. Their formal treatment is eye-catching and thought-provoking. The edibles they feature are presented in carefully studied compositions that border on the mannered. Each subject (a drop of milk suspended in midair, a bright red table setting, a salmon wrapped in royal blue netting, the vividly coloured inner layers of a cabbage, etc.) is highlighted against a black background and enhanced with directed lighting that creates a theatrical look. The glossy photo finish recalls the sheen of magazine ads. In short, these are attractive pictures that promote the products in question. However, their appeal is roundly contradicted by the troubling issues raised alongside them. In *Milk*, for example, the mouth-wateringly creamy suspended drop is accompanied by a text stating that the use of growth hormones to boost milk production in cows poses a health hazard to humans and leads to udder infections in animals. Crafted with a food marketing approach, these images function like the aseptic-looking grocery packaging that camouflages the underbelly of the agri-food industry.

The work created by the Cooke-Sasseville duo for ORANGE II –*Le nouveau monde* [The New World] – also involved an antagonistic logic in terms of viewer reception, but it operated in playful mode. This often ironic strategy employs humour, whimsy, absurdity and excess to infiltrate the discourse of a derisive criticism of reality. Marie Fraser, curator of the exhibition *Le ludique* [Play], has reflected on this theme in contemporary art: "Play... may be a gratuitous activity, experienced as make-believe, but that does not make it unreal; on the contrary, artists explore the meaning of the quotidian, the commonplace, the familiar in order to alter the dullest or even the cruellest reality."[2] The Cooke-Sasseville installation consisted of a miniature farm housing two life-size bovines and oversized swans and roosters, all completely covered in popcorn. Their corn-coloured pasture was also buried under popcorn, and the aroma wafted throughout the Le Mondor venue. The obvious absurdity of the popcorn glut caused people to smile as they entered the surrealistic environment. But the intoxicating spectacle of excess was, in fact, far from cheerful, for beyond the surface lay a glaring reference to intensive agriculture. The primary target was the growing spread of monoculture corn farming in Quebec, whose harmful impact on the natural environmental cycle and biodiversity are also seen in soil erosion and pesticide water pollution. Cooke-Sasseville's timely "new world" was all the more distressing for its direct relevance to the socio-economic context of ORANGE's host city, where corn is the number one crop.

The reworked version of *Jardin d'artifices* [Garden of Artifice] that Marc Dulude presented at ORANGE II was similarly marked by a playful approach and aesthetic ambiguity. His "garden" installation consisted of hundreds of varicoloured plastic bottle ends strewn on the floor in imitation of flowers. The darkish setting was lit by lights concealed in long tubes of white cloth

7. Marc Dulude
Jardin d'artifices, 2006

that extended from floor to ceiling like luminous trees. Visitors strolled this fantastical garden along a path punctuated by flying robotic insects and mechanized flowers fixed to the wall. Being immersed in the work caused amazement, both at the immense quantity of "planted" plastic elements and at how showy the familiar material had become. In this sense, the experience procured a certain *allégresse réceptive* (receptive joy), a term borrowed from Sylvie Janelle, who explains that "much of the delight of the receptive act occurs when we recognize what we overlook in the banality of everyday life and find tinged with fantasy in works of art."[3] But the delight inspired by Dulude's installation turned to dismay as the impression of floral abundance shifted to the very different impression of rubbish heaps attesting the overconsumption that now defines our eating habits. At that point, the cuteness of the makeshift flowers gave way to the literality of waste objects, and the notion of garden was replaced by that of an overflowing dump too vast for the ground to contain.

The receptive joy just mentioned was also evident in the piece by Aude Moreau, a new version of her *Tapis de sucre* [Sugar Carpet]. Visitors were enticed by the sparkling white expanse, but the real "visual delectation" occurred as the illusion of carpet faded and the artist's medium became evident. That said, Moreau's installation harboured a strong aesthetic dialectic based on the consideration of sugar as material. This pleasant-flavoured food substance initially evoked the tasty realm of candies and sweet treats; in short, the gustatory pleasure that it procures. However, it was hard to ignore its more negative connotation on seeing the painting of labourers in sugar cane fields on the installation walls. Despite its association with a grievous colonial and slaveholding past, growing this commodity under dreadfully difficult working conditions remains one of the few options for poverty-stricken populations. The words "SLAVE CULTURE SAVE REVOLT" painted on the window adjacent to the installation underscored the reference to this sorry social and economic reality.

Having considered the aesthetic paradox perceptible in all of these works, I detect a certain resonance with the relationship to food reflected in our current lifestyle – a theme specific to ORANGE, if not to the 2006 edition. As I see it, we live this ambivalence in many areas, particularly where food is concerned: we witness overfarming and surplus commodities coexisting with widespread famine; we applaud the benefits of organic farming and the way fair

10. Aude Moreau
Tapis de sucre 2, 2006

trade production betters the growers' lives yet we are not prepared to spend the extra dollars they entail, thus perpetuating the dominance of large industries and their generally cheaper products; we recognize that obesity is rampant, especially among young people, yet we continue to serve poor food in our schools; our environmental and civic conscience disagrees with the mercantile management of the agri-food industries, yet our economic and social conscience cannot ignore the many jobs they create and the fact that they often drive the economy of their host regions; and on and on. In short, the works from ORANGE discussed here are marked by the same ambiguity and ambivalence that mark and are part of the way we live our daily lives.

1. Kate Reagan, "Terrible Beauty," *Yoursource Magazine*, fall 2005, p. 57.

2. Marie Fraser, *Le ludique*, exhib. cat. (Quebec City: Musée national des beaux-arts du Québec, 2001), p. 12.

3. Sylvie Janelle, Isabelle Lelarge and Yvan Moreau, "Les délectations," *ETC Montréal*, special issue, 2002, p. [1].

Catherine Nadon
Orange reliquaire

ORANGE, L'événement d'art actuel de Saint-Hyacinthe, se nourrit d'une réflexion portant sur l'agroalimentaire et ses dérivés : considérations environnementales, anthropologie de l'alimentation, réflexes sociaux reliés au boire et au manger, etc. En mijotant un tel événement, il semble inévitable, aussi, de réfléchir au propre de l'art. De réfléchir à la nature des objets qu'on y présente ; c'est ici ce qui retiendra notre attention. Penser l'art comme le propose ORANGE, c'est bien évidemment penser l'objet d'art avec ce qu'il a d'organique, de friable et d'instable. Guidés par ces réflexions, nous nous demanderons en quoi certaines productions de ORANGE se rapportent à la notion de relique. Il s'agira d'utiliser l'analogie de l'œuvre d'art en tant que relique, et pour ce faire, nous poserons notre regard sur trois productions présentées dans le cadre de cette seconde édition, soit celle d'Aude Moreau, de Karen Tam et de Gabriel Baggio. Il est important de mentionner que cette entreprise n'a pas pour objectif d'affirmer que ces œuvres sont des reliques à proprement dit, mais qu'elles participent d'une logique similaire que nous tenterons de démontrer.

L'œuvre d'art actuel, une relique ? Il est vrai que l'amateur visitant différentes expositions d'art actuel voit défiler sous ses yeux de multiples objets et fragments d'objets qu'il reconnaît et qu'il peut retrouver hors des enceintes muséales. Il est convenu qu'avec la modernité – et cela est d'autant plus vrai avec la postmodernité –, on a vu entrer dans la sphère de l'art la présentation d'objets « tout faits » issus de notre monde quotidien. La paternité de ce geste a été unanimement attribuée à Marcel Duchamp depuis son premier ready-made, *Porte-bouteilles* (1914), mais particulièrement depuis sa non moins célèbre *Fountain* (1917). Souvent accusés d'être trop conceptuels, les ready-mades duchampiens – tout comme un pan de la production d'artistes marchant dans les traces du maître – ont également été taxés de n'être que de simples objets arrachés au réel. Les défenseurs de ces réalisations, quant à eux, soulignent à grands traits que l'œuvre d'art devenait enfin, avec Duchamp, un geste de l'esprit et non pas, obligatoirement, le geste de la main qui fabrique.

L'abandon de la représentation comme principe fondateur de l'œuvre d'art inquiète plusieurs commentateurs de la scène artistique actuelle. Cet art de la représentation, accolé à ce que l'on pourrait appeler une esthétique classique, obéit à un idéal de simplicité harmonieuse où l'importance est accordée à l'unité, au souci de la composition équilibrée ; il s'agit d'un art d'élévation vers le noble et faisant appel aux disciplines des beaux-arts : dessin, peinture et sculpture. Cet abandon d'un art classique a mené un auteur comme Jean Clair[1] à déplorer que l'art actuel s'éloigne dangereusement de la tradition. Pour celui-ci, l'art actuel serait devenu un art de bouleversements où l'on a délaissé la représentation au profit de l'étalement de fragments, de restes, en somme, de reliques. Et pour preuve, il mentionne que les artistes ne s'affairent plus à *représenter* ; ils présentent plutôt des objets extirpés de la vie de tous les jours pour les hisser au statut d'œuvre

15. Women with
Kitchen Appliances
WWKACOMO, 2006

d'art, le tout supporté par un establishment complaisant, composé de galeristes, de critiques, de collectionneurs, etc. De ce bouleversement résulterait une inquiétante dérive. Nous reconnaissons que l'identification de l'œuvre d'art actuel en tant que relique est une observation judicieuse – et c'est pourquoi nous l'utilisons en tant que cadre d'analyse –, mais nous ne partageons cependant pas cette inquiétude qui cache mal un attachement à une tradition artistique qui ne colle plus aux volontés créatrices d'un grand nombre d'artistes en ce début de XXIe siècle.

Relique, trompe-l'œil et illusion : concordance du sensible et de l'intelligible Tout comme pour les reliques, les œuvres de ORANGE favorisent un contact à la fois sensoriel et intellectuel avec le spectateur, faisant appel aux dimensions matérielles et conceptuelles des objets présentés. En ce sens, la vision de l'objet d'art véhiculé par l'événement se rapporte à celle proposée par Robert Storr, commissaire de *Think with the Senses, Feel with the Mind. Art in the Present Tense* : « Il s'agit de s'adresser à la fois à l'affectif et à l'intellectuel, de ne pas accepter qu'ils soient considérés comme contradictoires et irréconciliables par une théorie quelconque[2]. » L'objet d'art actuel, tout comme la relique, nécessite que l'on en fasse l'expérience. L'œuvre exposée devenue relique réconcilie les aspects matériel et conceptuel de l'œuvre d'art, loin d'isoler celle-ci dans une sphère matérielle qui n'aurait que le cynisme, la transgression et la subversion pour finalité.

Dans l'art d'aujourd'hui, il faut le dire, il n'y a pas que des concepts, des théories et des idées, il y a aussi des expériences. En ce sens, une description, aussi exhaustive soit-elle, ou une reproduction, aussi fidèle que possible, ne pourra remplacer l'expérience vécue par le spectateur faisant face à l'œuvre. Nous n'avons qu'à penser à la confusion de plusieurs visiteurs devant *Sugar Carpet II* de l'artiste Aude Moreau. Le plaisir éprouvé devant ce trompe-l'œil tient beaucoup à la force de son expérience, c'est-à-dire à la surprise engendrée par la ressemblance de l'amas de sucre avec un véritable tapis. L'illusion fut si réussie qu'un visiteur marcha par mégarde sur l'œuvre lors de la soirée d'ouverture. Ces trois pas faisaient désormais partie de l'œuvre. Ils furent pour les visiteurs ultérieurs le seul avertissement indiquant qu'ils étaient en présence d'un trompe-l'œil.

L'action d'expérimenter l'œuvre intitulée *Sugar Carpet II* est davantage évocatrice que la simple représentation picturale d'un tapis... de sucre. Au même titre, le culte voué à une relique passe par sa présence matérielle. Un croyant pourrait difficilement vénérer une relique qu'il sait éloignée, ou avec laquelle il n'est jamais entré en contact, et ce même si on lui expliquait ses vertus et ses aspects physiques dans les moindres détails. La relique est une affaire de proximité et d'expérience sensible ; l'œuvre d'art contemporaine et les propositions de cette édition de ORANGE le sont également.

La forte impression que procurait l'installation *Sugar Carpet II* ne constitue en rien un obstacle à la compréhension des revendications sociales et politiques qui s'y rattachent. Au contraire, l'aspect matériel de la réalisation et l'expérience esthétique vécue sont en harmonie avec les revendications

de l'artiste. De l'expérience esthétique du tapis émanent d'abord d'agréables sensations, nous l'avons dit. Ces sentiments de réconfort et de douceur que nous procure le sucre sont contradictoires considérant que cette blanche substance constitue en réalité la pierre angulaire d'un esclavage qui perdure. Les illusions véhiculées par ce trompe-l'œil sont donc riches de sens, multiples et fort séduisantes à la fois.

Une expérience similaire prend place avec *Jardin Chow Chow Garden* de Karen Tam. Dans ce cas, l'attirail mis en place par l'artiste a le dessein de recréer un restaurant chinois respectant les repères nord-américains. Assis à une table, le visiteur est donc plongé dans l'atmosphère de ce type de restaurant. L'illusion, entièrement fabriquée par l'artiste, reflète le leurre véhiculé par ce type de commerce. De nombreux visiteurs croyaient entrer en contact avec la culture asiatique par le biais de ces lieux empreints d'exotisme qui, règle générale, ont pour but de plaire à la clientèle. Encore une fois, l'illusion est double. En tant que visiteurs, nous nous laissons déjouer, sans trop de résistance. L'illusion esthétique conduit à un mirage idéologique, fabriqués respectivement par l'artiste et par la société occidentale de laquelle nous sommes issus. Nous assistons donc, tout comme pour l'exemple précédent, à une rencontre des plus dynamiques entre les aspects conceptuel et matériel de l'œuvre.

Relique, moulage et contact : sur le métier de l'artiste Les trois assiettes que présente Gabriel Baggio à l'intérieur de l'installation *Lo Dado* méritent aussi notre attention en ce qui a trait à la notion de relique. Déposées sur des socles de marbre, ces œuvres ont été moulées à partir de platées préparées par trois aïeules de l'artiste. Mère et grands-mères se sont prêtées à l'exercice et ont concocté pour l'artiste des recettes typiques de leur culture respective[3]. Cette technique du moulage choisie par Baggio ne répond pas à l'idéal de l'esthétique classique en ce sens qu'elle fait surgir l'œuvre d'art à partir d'un contact avec un objet tiré du monde empirique. Tout comme pour les propositions de Moreau et de Tam, les œuvres de Baggio peuvent être accusées, par conséquent, d'entretenir un « excès de réel »[4]. Rappelons que, se conformant au projet de l'œuvre d'art idéale issue des doctrines de l'esthétique classique, l'artiste doit *représenter* et non pas *mouler* bêtement des objets du quotidien. Suivant cette logique, les formes de ces assiettes ne proviendraient pas de l'esprit créateur de l'artiste.

Tâchons maintenant de nous rapprocher davantage de l'objet, voire de la technique utilisée pour la réalisation de ces trois assiettes. Pour ce faire, il est impératif de se débarrasser de la formule propre à l'esthétique classique qui « prend pour acquis que le matériau en soi […], est étranger à l'art[5]. » Ainsi, nous remarquerons que la technique utilisée a pour objectif de mettre en avant-plan un contact matériel essentiel à la logique de l'œuvre de l'Argentin. En effet, le moulage vient rejoindre l'acte de mise au monde. Notons que ce thème est fortement présent dans

13. Karen Tam
Jardin Chow Chow Garden,
2006

l'œuvre proposée par Baggio. Cet accouchement vient rappeler le contact de l'enfant avec la mère. Tout comme la mère, matrice de l'enfant, les moules vont faire surgir les assiettes qui prennent forme grâce à ce contact. C'est cette genèse que met en lumière l'artiste par l'utilisation du moulage. Nous sommes donc placés devant la double exigence propre à cette œuvre de présenter et de présentifier[6]. Autrement dit, l'œuvre d'art ne nous présente pas seulement un objet à l'intérieur duquel nous devons lire des formes, mais plutôt la façon de procéder en tant que telle – la technique – incarne le propos de l'œuvre. Didi-Huberman pointe un procédé de même nature dans la partie inférieure de la *Madone des ombres* (c. 1440-1450) de Fra Angelico qui projeta le pigment sur son support faisant ainsi référence, dit-il, au geste de l'onction. Tout comme l'œuvre de Baggio, cette proposition ne répond pas à l'idéal de la représentation, où l'on expose une vision concertée du monde. Ces productions sont plutôt riches d'une technique qui contribue à préciser le propos de l'œuvre. Cette procédure modifie et élargit les possibilités de création en libérant cette dernière des impératifs de l'esthétique classique. La relique religieuse et les assiettes de Baggio relèvent d'une logique similaire en ce qui concerne leur *émergence*. Toutes deux ont vu le jour grâce à un contact. Puis, comme la relique qui naît du toucher avec le sacré, les plats en céramique de Baggio sont en quelque sorte devenus sacrés à leur tour.

En résumé La plupart des œuvres de ORANGE ne répondent pas aux critères de l'esthétique traditionnelle, nous l'avons compris. Plusieurs détracteurs de la production actuelle à travers le monde déplorent l'abandon d'un art de représentation et dénoncent la trop grande part accordée à son substitut : des agencements de résidus, d'objets banals, de moulages, etc. Or, tenter de comprendre les enjeux de l'art actuel via la notion de relique nous permet d'étudier l'œuvre d'art dans ses dimensions à la fois matérielles et conceptuelles. Visiter les productions d'aujourd'hui en les étudiant à partir de cette notion nous éclaire sur le statut de l'œuvre d'art, de toute évidence en constante évolution.

1. Il faut lire à ce propos l'ouvrage de Jean Clair, *De Immundo*, Paris, Galilée, 2004. 135 p.

2. Robert Storr, « Penser avec les sens, sentir avec la raison », conversation avec Jean-Hubert Martin, *Art Press*, n° 335.

3. La grand-mère maternelle de l'artiste est d'origine italienne, la grand-mère paternelle est d'origine juive, tandis que la mère de l'artiste est née en argentine.

4. D'après l'expression utilisée par Julius von Schlosser, *Histoire du portrait en cire*, Paris, Éditions Macula, 1997, p. 163.

5. *Ibid*, pp.169-170.

6. Georges Didi-Huberman, *Devant l'image*, Paris, Les Éditions de Minuit, 1990, p.238.

Catherine Nadon
Orange as Reliquary

Translated by Marcia Coüelle

ORANGE: Contemporary Art Event of Saint-Hyacinthe, draws sustenance from reflections on agriculture and its derivatives: environmental considerations, the anthropology of food, social reflexes to do with eating and drinking, etc. However, cooking up an event of this sort inevitably leads to reflecting on the essence of art as well, to reflecting on the nature of the exhibited objects. This will be my focus here. To conceive art as proposed by ORANGE is, obviously, to conceive the art object in all its organicity, fragility and instability. With this in mind, I intend to explore the connection between certain productions seen at ORANGE and the notion of relic. To do so, I will use the analogy of artwork as relic, looking at three productions presented at the second edition of the event: those by Aude Moreau, Karen Tam and Gabriel Baggio. I hasten to add that my goal is not to declare these works relics as such but to show that they derive from a similar memorial logic.

Present-day artworks: Are they relics? It is true that visitors to exhibitions of present-day art are often confronted with objects and fragments of objects that they recognize and can encounter outside of museums. It is also true that modernity – and all the more so post-modernity – saw the presentation of everyday manufactured objects intrude into the domain of art. Responsibility for this has been unanimously ascribed to Marcel Duchamp since his first ready made, *Porte-bouteilles* (1914), but especially since his equally famous *Fountain* (1917). Widely denounced as overly conceptual, Duchamp's readymades – and a whole host of productions by artists following in his footsteps – were also taxed with being nothing but ordinary, real-world objects. Conversely, the champions of these creations vociferously asserted that, with Duchamp, the artwork was at last becoming an act of the mind, and not necessarily an act of the maker's hand.

Many art-scene observers are troubled by the rejection of representation as the founding principle of art. Coupled with what can be called a classical aesthetic, the art of representation answers to an ideal of harmonious simplicity that emphasizes unity and carefully balanced composition; it is an art that strives for nobility and marshals the fine arts disciplines: drawing, painting and sculpture. The forsaking of classical art has led Jean Clair[1] to lament that art is veering dangerously far from tradition. As he sees it, the art of today has become an art of disruption, where representation is replaced by the presentation of fragments or remains; in a word, relics. In making his case, he notes that artists no longer represent; instead, they present objects uprooted from the quotidian and elevated to the status of artwork with the support of a complacent establishment of art dealers, critics, collectors, etc. And this disruption, he says, is causing a disturbing drift. While I recognize that identifying present-day art as relic is an astute observation – hence its use here as an analytical framework – I do not share his concern, a concern that fails to mask an attachment to an artistic tradition that no longer reflects the creative aspirations of numerous artists in this new century.

3. Gabriel Baggio
Lo Dado, 2006

Relic, trompe l'oeil and illusion: Concordance of the sensible and the intelligible Just as relics do, the works from ORANGE favour a simultaneously sensorial and intellectual contact with the viewer, playing on the material and conceptual dimensions of the presented objects. In this sense, the vision of the art object conveyed by the event is similar to that proposed by Robert Storr, curator of *Think with the Senses, Feel with the Mind. Art in the Present Tense*: "It's a matter of addressing both the senses and the mind, of refusing to consider them contradictory and irreconcilable according to some theory.[2]" Like relics, today's art must be experienced. Far from isolating art in a material realm of cynicism, transgression and subversion, the exhibition of an artwork/relic reconciles its physical and conceptual aspects.

Present-day art offers not just concepts, theories and ideas, of course, but also experiences. In this respect, no description, no matter how exhaustive, or even the most faithful reproduction can replace the experience of viewing the actual work. Suffice it to think of the confusion that beset many visitors encountering Aude Moreau's *Sugar Carpet II*. Much of the pleasure felt on seeing this trompe l'oeil piece lay in the power of the experience, in the surprise caused by the massed sugar's close resemblance to a carpet. The illusion was so successful that someone accidentally trod on the art at the opening. The resulting three footprints remained as part of the work, the only indication for subsequent visitors that it was illusory.

The act of experiencing *Sugar Carpet II* is more evocative than the mere pictorial representation of a carpet... of sugar. Similarly, the veneration of a relic depends on its material presence. Believers would find it hard to worship a distant relic, or one with which they have never been in contact, even if its virtues and physical appearance were described to them in great detail. A relic is a matter of proximity and sensitive experience; the same is true of contemporary art and the works in this edition of ORANGE.

The powerful impression made by *Sugar Carpet II* in no way impedes understanding of the attendant social and political advocacy. On the contrary, the physical appearance and aesthetic experience of the installation are consistent with the artist's positions. At first glance, the carpet arouses aesthetically pleasing sensations, but the feelings of comfort and sweetness associated with sugar contradict the fact that the snowy substance is the cornerstone of ongoing slavery. The illusions conveyed by this trompe l'oeil are thus rich in multifaceted and highly seductive meaning.

A similar experience occurs with Karen Tam's *Jardin Chow Chow Garden*. In this case, the paraphernalia assembled by the artist served to recreate a North American-style Chinese restaurant. Seated at tables, visitors found themselves in a familiar atmosphere, but this was an illusion fabricated by the artist to reflect the artifice typical of such eateries. Some people believed they were experiencing Asian culture in this decor, filled as it was with the exotic touches generally added to just to please the clientele. Once again, the illusion was two-fold. Visitors easily lent themselves to the duplicity. The aesthetic illusion created by the artist led to an ideological mirage created by our Western society. And as with the previous example, the result was a dynamic encounter between the conceptual and the material aspects of an artwork.

Relic, cast and contact: On the artist's profession The three food-filled plates displayed in Gabriel Baggio's installation *Lo Dado* are also of interest in respect to the notion of relic. Displayed on marble bases, these works were cast in ceramic from dishes prepared by three of the artist's forebears, his mother and grandmothers, who contributed to the project by cooking up recipes typical of their respective cultures.[3] The casting technique departs from the classical ideal in that the resulting artwork derives from contact with an element of the empirical world. Like Moreau's and Tam's productions, therefore, Baggio's art can be accused of being "overly real."[4] Traditional aesthetic doctrines of ideal art demand that artists represent, not simply cast everyday objects. According to this logic, the forms of these plates are not the fruit of the artist's creative mind.

Before taking a closer look at the plates and the technique used to make them, we must rid ourselves of the classical aesthetic notion which assumes that the material is foreign to the art.[5] It then becomes clear that the aim in choosing this technique was to emphasize a physical contact essential to the Argentine artist's thinking. The casting process is linked to the act of giving birth, a theme that pervades the work in question. The unmoulding recalls the child's contact with the mother. Like the mother, matrix of the child, the casts cause the plates to emerge, finding form through the same contact. It is this genesis that the artist illustrates through the use of casting, placing the viewer before the work's dual obligation to present and to "presentify."[6] In other words, the artwork does not simply present forms to be read but, rather, the way in which the process as such – the technique – embodies its statement. Didi-Huberman points to a procedure of the same nature in the lower area of Fra Angelico's *Madonna of the Shadows* (c. 1440-1450), where splatters of pigment stand out from the panels in reference, he says, to the rite of unction. Neither Baggio's work nor this painting answers to the ideal of representation and its concerted vision of the world.

Instead, both have been enhanced by a technique that helps to clarify what the work has to say. This procedure modifies and expands creative potential by freeing it from the imperatives of the classical aesthetic. The religious relic and Baggio's plates share a common logic in terms of their emergence. Both are created as a result of contact. And just as the relic is born from touching the sacred, Baggio's ceramic plates become in some way sacred as well.

In conclusion Most of the works shown at ORANGE do not meet the criteria of traditional aesthetics. Far and wide, many detractors of present-day production deplore the rejection of representative art and denounce what they see as excessive attention to its replacement: arrangements of remains, commonplace objects, casts, etc. Attempting to grasp the issues of present-day art via the notion of relic enables us to examine the artwork in both its material and its conceptual dimensions. Studying today's productions from the perspective of this notion sheds light on the manifestly ever-evolving status of the artwork.

1. See Jean Clair, *De Immundo*, (Paris: Galilée, 2004).

2. Robert Storr, "Penser avec les sens, sentir avec la raison," conversation with Jean-Hubert Martin, *Art Press*, no. 335.

3. The artist's maternal grandmother is of Italian origin, his paternal grandmother has Jewish roots, and his mother is Argentine born.

4. As qualified by Julius von Schlosser in his essay "Geschichte der Porträtbildnerei in Wachs," (1910-1911), recently translated into English as "History of Portraiture in Wax," in *Ephemeral Bodies: Wax Sculpture and the Human Figure*, Roberta Panzanelli, ed. (Los Angeles: Getty Publications, 2008).

5. See von Schlosser, *op. cit.*

6. Georges Didi-Huberman, *Devant l'image* (Paris: Les Éditions de Minuit, 1990), p. 238.

Mélanie Boucher
Le repas partagé dans l'art comptemporain

Table d'hôte à trois services[1]

Mise en bouche. Genèse au futurisme Chercher à retrouver l'origine des liens qui unissent les actes de création à l'élaboration des repas constituerait sans contredit une folle aventure. Ceci s'avère d'autant plus vrai si l'on considère la quantité d'artistes, de cuisiniers, de gastronomes et d'adeptes de la dépense qui, au cours des siècles, semblent avoir voulu élever l'art d'élaborer des plats au statut du « grand art »[2]. Il y eut les peintres nabis, vêtus de noir, qui pastichèrent d'anciens rituels lors de festins mensuels[3]. Alexandre Balthazar Laurent Grimod de la Reynière (1758-1838), le premier critique gastronomique de l'histoire, orchestra quant à lui de nombreux festins dont le « repas » de ses funérailles en 1812. En apparaissant triomphalement aux affligés conviés pour un dernier hommage, il rehaussa sans doute la saveur des mets qui furent ensuite partagés[4]. D'autres exemples pourraient ainsi être avancés, notamment celui des bacchanales romaines. Lors de ces fêtes extravagantes, où l'ivresse se conjuguait à la débauche, la consommation de nourriture et d'alcool contribuait à l'expression d'une dramatique dont les composantes ont d'ailleurs été des repères pour des artistes de la performance de la deuxième moitié du vingtième siècle à aujourd'hui[5].

Cela dit, de toutes les occasions où art et nourriture se sont vus réunis, j'ai la ferme conviction que les artistes futuristes exploitèrent les premiers la cuisine ainsi que la forme du repas pris en commun en tant que disciplines artistiques à part entière[6]. Car, contrairement à leurs prédécesseurs, les futuristes n'élaboraient pas leurs mets en regard de conventions nutritives ou gustatives préétablies. Les aliments, leur goût, leur préparation, leur présentation et la valeur qu'on y accordait à l'époque ne gouvernaient pas la finalité du projet créateur. C'était l'inverse ! Les aliments servaient de matériaux, à pareil titre que le bois ou le métal, et ils étaient soigneusement préparés selon les principes du mouvement – comprenant la modernité, la puissance, la virilité et la vitesse. En témoigne le *Manifeste de la Cuisine futuriste*, signé en 1931 par Filippo Tomasso Marinetti (1876-1944) et Fillìa (1904-1936)[7].

Les repas futuristes étaient accompagnés d'une fortune sémantique qui est à considérer. Tenus pour des métaphores langagières par les menus, la vue des plats et leurs noms déclamés aux convives[8], ces repas sollicitaient non seulement le goût, l'odorat et le regard mais également la parole et l'ouïe, et même le toucher. Ils étaient conçus de sorte à stimuler la gamme des sens, à s'harmoniser avec les formes, les couleurs et le mobilier du lieu d'accueil et à être ponctués d'actions variées, tel que l'exemplifie une description de l'Aéroplat :

« On servira à la droite du convive une assiette contenant des olives noires, des cœurs de fenouil et des kumquats, et à sa gauche un rectangle formé de papier de verre, de soie et de

velours. Les aliments devront être portés directement à la bouche de la main droite, tandis que la gauche effleurera légèrement et à plusieurs reprises le rectangle tactile. En même temps les serveurs vaporiseront sur les nuques des convives un coparfum d'œillet, tandis que de la cuisine parviendra un violent cobruit de moteur d'aéroplane combiné à une musique de Bach[9]. »

Les repas futuristes entretenaient un fantasme d'art total en participant à une volonté d'inscrire l'art dans toutes les dimensions de la vie courante. Il est vrai que s'ils avaient été véritablement préparés et mangés trois fois par jour par tout un peuple, ils auraient modifié son quotidien de manière étonnante. Mais ces repas soutenaient de surcroît une propagande politique, considérant les valeurs d'autoritarisme, de missionnarisme et de totalitarisme dont ils faisaient la promotion au moment où, en sol italien, l'idéologie fasciste était en place[10]. Le peuple italien devait adopter une alimentation pour être svelte, puissant, à l'image de sa supériorité naturelle supposée sur les autres races.

Si son caractère précurseur est indéniable, pour davantage que ce dont il a été question ici[11], la cuisine futuriste semble cependant avoir exercé une influence faible sur les œuvres performatives réalisées par la suite et à l'intérieur desquelles des aliments ont été partagés[12]. La première d'entre elles est fort probablement *Spring Banquet* (1959), de Meret Oppenheim (1913-1985). Œuvre surréaliste préfigurant l'art féministe, *Spring Banquet* conviait trois couples à une « fête de la fertilité » dans laquelle ils devaient déguster des anémones qui reposaient sur une femme nue[13].

Depuis lors, avec le tournant des années 1950 aux années 1960, les artistes ayant fait usage de nourriture dans l'exécution d'œuvres performatives se comptent nombreux. De ceux et celles qui ont plus précisément exploité la forme du repas pris en commun, Daniel Spoerri, dont la démarche est fondée sur le fait anthropologique de s'alimenter, a initié de nombreux dîners dont les premiers se sont tenus en 1963, à la Galerie J à Paris. Transformant pour l'occasion l'espace d'exposition en lieu de restauration, il créa différentes tables d'hôtes dont le *Dîner carcéral* et le *Menu des homonymes*[14]. Gordon Matta-Clark (1945-1978) ouvra pour sa part le restaurant *Food*, à Manhattan de 1971 à 1974[15], et Sophie Calle exerça son *Rituel d'anniversaire*, de 1980 à 1993[16]. Rirkrit Tiravanija prépare des currys, qu'il partage depuis une quinzaine d'années avec autrui, tandis que Massimo Guerrera poursuit les projets *La Cantine* (1995 –) et *Darboral* (2000 –), qui sont les deux liés à la distribution des vivres[17]. À ces exemples, d'œuvres ambitieuses dont la force n'a d'égal que la longue période sur laquelle elles se sont déployées ou se déploient encore[18], s'ajoutent un nombre inouï d'interventions plus ponctuelles dans lesquelles les artistes ont délibérément joué le jeu du cuisinier ou du commensal.

Au-delà de leurs différences, nombreuses tant au niveau de la forme que du contenu[19], ces œuvres réalisées depuis la fin des années 1950 et où un repas est pris en commun révèlent, à ma connaissance, à la fois la volonté d'instaurer un moment convivial et de favoriser une ouverture envers la différence d'autrui[20].

Entrée. Usage de la nourriture La problématique de l'usage des aliments m'apparaît essentielle dans le cas des œuvres où ils sont consommés. Cet usage implique que les denrées communiquent quelque chose; qu'elles soient présentées – elles sont habituellement données à voir, on les observe – et qu'elles soient signifiantes – elles sont de facto l'apparence ou l'équivalent d'une réalité qui les dépasse. En cela, elles se rapprochent des fruits, des volailles et des poissons si bien exécutés dans les natures mortes flamandes du XVIIe siècle et des blocs de graisse de Joseph Beuys (1921-1986). Par ailleurs, là où ces denrées se distinguent radicalement des autres aliments qui, au fil des siècles, ont été représentés sous forme picturale et sculpturale ou qui, depuis la première moitié du vingtième siècle, font vraiment partie de plusieurs œuvres, est dans le fait qu'elles soient aussi ingérées. Les participants des réalisations performatives où un repas est partagé sont, en effet, appelés à faire un «complet» usage de la nourriture en saisissant son potentiel communicationnel tout en la consommant.

Je suis d'avis que les individus qui consomment des aliments dans un cadre performatif vivent une belle part de l'expérience esthétique par le rapport concret, corporel et vital qui les lie à la nourriture[21]. Lorsqu'elle est mangée, ou bue, cette dernière répond à la fonction capitale pour l'être humain de le sustenter. Certes, les aliments qui sont uniquement représentés ou montrés ne sont utiles en rien pour la survie du corps, mais ceux qui sont ingérés le sont systématiquement au contraire. Et comment le corps pourrait-il méconnaître ce qui l'aide à se maintenir en vie ?

Au-delà ou en deçà de la conscience, le lien qui unit depuis les temps originels l'être humain aux vivres doit être clairement gravé dans les confins de la pensée, des affects et du corps. En conséquence, il est fort à parier que cette inscription intérieure, dont je suis persuadée, a un effet distinct dans le saisissement des œuvres où il y a ingestion. Qu'aux stratégies de communication «habituelles», grâce auxquelles les individus entrent en relation avec les œuvres d'art, s'ajoutent des enjeux qui tiennent de la consommation – et la consommation implique bien des gestes et attitudes tout en révélant des traits des personnalités. Les saveurs et les fumets, les mariages, les aspects et les quantités mais également l'appréciation subjective de chacun devraient contribuer. Dans *Le Festin trouble* (2005), Claudie Gagnon le voulait sans doute ainsi, puisque les tables du *Festin* qui étaient configurées à la manière d'un labyrinthe regorgeaient de mets en tout point réfléchis : pièces montées d'œufs colorés, vases contenant des «fleurs d'artichauts et de cailles», tête de porc, petits gâteaux ornementés d'un œil en sucre, etc.[22].

Mais est-ce revenir à dire qu'une sculpture en chocolat de Janine Antoni ne peut pas aviver ce qui relève de la consommation parce qu'elle n'est pas mangée par ceux et celles qui reçoivent l'œuvre ? Que *From Foot to Mouth* (2006), une troublante performance d'Aude Moreau réalisée pour cette deuxième édition de ORANGE, dans laquelle l'artiste engouffrait littéralement des lettres de gélatine reconstituant la phrase de Joseph Beuys «Ego, le moi, réclame de l'économie une nourriture spirituelle[23]», ne le peut pas également ? Elles le peuvent et le font. Mais moindrement qu'un repas partagé, assurément.

10. Aude Moreau
From Footh to Mouth, 2006

Plat principal. Repas avec consommation et communication Façon de se nourrir qui se répète sinon à heures convenues du moins régulièrement, le repas pris en commun se conforme dans une large mesure aux conventions sociales. Bien que par le passé son organisation était sujette à des formalités qui ne sont plus nécessairement respectées à notre époque, s'alimenter demeure tout de même l'une des activités quotidiennes étant les plus codifiées aux quatre coins de la planète. Cette codification du repas, qui transite par de nombreuses composantes dont font partie le statut des invités, leur nombre et leur tenue, implique au premier chef la nature même de la nourriture qui est offerte au menu.

Paradoxalement, la charge signifiante de cette nourriture[24], de sa transformation, des transactions dont elle est l'objet et de son ingestion ne serait pas essentiellement tributaire des besoins physiologiques et de la valeur nutritive. Bien que le besoin vital de consommer des vivres soit précisément à l'origine des liens indétectibles qu'entretient l'être humain avec le domaine alimentaire, d'autres facteurs – tant sociaux et culturels qu'individuels, et dont l'individu saisirait en partie seulement l'influence – orienteraient la perception d'un aliment donné[25]. Cette impression subjective face à ce qui est appétissant, bon et bon au goût offre une explication valable au fait que la majorité des Occidentaux se refuserait à consommer du chien tout en mangeant régulièrement du porc, un animal pourvu d'une forme d'intelligence et de sensibilité qui n'est pas moindre que celle du meilleur ami de l'homme. Et, pourtant, la chair canine ne serait ni nocive, ni de goût douteux, puisque certains peuples en mangent.

Il va de soi que les artistes des repas pris en commun tirent avantage de la charge signifiante de la nourriture car elle constitue un terreau fertile d'informations sur la diversité des aspects qui lient au monde l'être humain. Pointant ou modifiant la valeur accordée aux aliments, qu'il s'agisse du chocolat, du thé, du champagne ou du caviar, pour citer en exemples des denrées fortement connotées qui sont respectivement associées à l'amour, aux conventions, aux fêtes et au luxe, les artistes exploitent de plus les catégories empiriques que sont, en outre, le cru et le cuit, le frais et le pourri ainsi que le mou et le croquant[26]. Avec le *Festin trouble*, Claudie Gagnon s'employait à détourner la signification qui est normalement octroyée à certains vivres à l'aide de présentations inédites. Dans *Messe pour un corps* (1969), Michel Journiac (1935-1995) faisait manger son propre sang après l'avoir transformé en boudin, ce qui n'est pas sans rappeler le dernier repas du christ. Pour *All In One Basket - Les Halles, Conservation Unit* (1997),

Lucy Orta glanait quant à elle les marchés publics afin de récupérer les fruits et les légumes jetés par les commerçants. Elle fit de ses récoltes des recettes comestibles, bonnes au goût, de sorte qu'elles suscitaient une rencontre entre le frais et le pourri de même qu'entre l'achat et le déchet[27].

La nourriture, qui signifie ceci ou cela, et qui agit sur le corps, le vivifiant, le rassasiant, l'apaisant, le grisant ou l'amortissant, contribue de surcroît aux types d'échanges qui sont suscités entre les convives. Le fait de dire et de recevoir, par les moyens verbaux et non-verbaux, constitue la différence la plus marquée entre le repas qui est consommé seul et celui qui l'est à plusieurs, la communication ou l'absence de communication prenant une place prépondérante dans la tenue et l'issue d'un repas. Quand l'alcool coule, les dialogues risquent une dérive qui n'est pas encouragée lorsque le thé est servi. L'infusion, qui est distribuée par World Tea Party dans chacune des interventions du collectif depuis 1993, est, a contrario, associée à un savoir-vivre favorisant la communication en toute civilité[28]. Aussi, les artistes qui pratiquent comme discipline la forme du repas pris en commun sont-ils portés à réfléchir, non seulement aux combinaisons entre les aliments, entre leurs significations et leurs effets, mais également aux échanges que ces derniers peuvent stimuler à l'intérieur d'un contexte qui n'est pas lui non plus innocent. À juger le nombre important de ces artistes qui se réclament depuis la deuxième moitié des années 1990 de l'esthétique relationnelle ou qui y sont autrement associés, nul doute que la problématique de l'échange est une des composantes qui est à considérer[29].

Le don, que Marcel Mauss (1872-1950) a cerné avec une justesse déconcertante[30], est en définitive la forme d'échange qui est la plus exploitée chez les artistes qui nous concernent. Dans cette édition de ORANGE, les mets de Gabriel Baggio et de Raul Ortega Ayala étaient d'ailleurs donnés, tout comme l'étaient en d'autres lieux et à d'autres moments les repas d'Iwona Majdan. Une fois par semaine, sur une durée d'un an dans le cadre du *Dinner Project* (2005-2006), l'artiste organisa un souper pour quatre, chez un étranger[31]. Par contre, le don n'est pas la seule forme d'échange à être exploitée, chacune d'entre-elles impliquant évidemment une dynamique qui lui est propre. Au restaurant *Food*, les plats n'étaient pas donnés mais vendus. Avec *Home Wall Drawing* (2004), François Morelli faisait du troc : une œuvre contre un repas[32].

Cependant, qu'elle soit donnée, vendue ou troquée, je crois que la nourriture circulant dans l'art performatif répondrait à une logique qui n'est pas calquée sur celle de la sphère marchande. En outre, les mets cuisinés par l'artiste auraient une valeur nettement supérieure à celle d'un simple repas, puisqu'ils « sont des œuvres ».

Dessert. Faim sans fin Les repas d'artistes qui sont partagés constituent un sujet de recherches fascinant par leur capacité à mettre au jour, à leur façon et avec une belle complexité, à la fois des éléments qui relèvent de la consommation (usage) et de la communication (signification, échange). Et il n'est pas nécessaire de s'attarder longtemps sur les notions de consommation et

François Morelli
Home Wall Drawing
Repas chez Arthur Gohin
à Aubusson,
le 26 mai 2004
Photo : courtoisie
de l'artiste
« Le repas était très simple, j'ai simplement la chance de pouvoir acheter sur le marché des légumes d'un cultivateur biologique. De même, je ne prends pas l'eau de la ville, d'un goût bien chloré, mais la maison dispose d'une fosse taillée dans le granit pour récolter les eaux de pluie, ce qui est bien meilleur, pour la langue, l'estomac, la peau et les cheveux. »
Arthur Gohin

Iwona Madjan
Dîner du 22 mai 2005
Hôte : Élizabeth ;
Convives : Iwona,
Andrée-Anne, José
et Christopher
Menu : une soupe
très verte, pastillo
de légumes et de fruits
de mer, gnocchis avec
une sauce tomate
maison, panna cotta
au chocolat
Photo : courtoise
de l'artiste

Massimo Guerrera
Darboral (ici, maintenant,
avec l'impermanence
de nos restes), 2002
Photographie couleur
35 x 52 cm
Photo: courtoisie
de l'artiste

de communication pour saisir à quel point les objets et les actes qui en découlent sont présents, voire partout présents dans la société actuelle, ce qui, bien entendu, multiplie l'intérêt. De plus, ces repas méritent une attention en s'inscrivant, comme j'ai tenté de le démontrer, dans le projet de la modernité artistique que poursuivait le futurisme.

Par ailleurs, ils ébranlent aussi les fondements de la modernité artistique par des aspects tels que la pérennité et l'autonomie de l'objet d'art. Qui plus est, ces repas qui sont partagés en art contemporain invitent à revoir le statut et le rôle de l'artiste qui, par exemple, procure à boire et à manger. Que crée-t-il, que l'on ne puisse déjà se procurer, et pourquoi le crée-t-il, à ce moment-ci de l'histoire de l'humanité? Le repas qu'il distribue suscite une expérience esthétique qu'il partage avec les participants de son œuvre[33]. Certes, elle n'est pas pour lui exactement la même, comme elle n'est pas non plus pareille d'un participant à un autre, selon bon nombre de facteurs dans lesquels une importante part de subjectivité entre en jeu. Toutefois, elle est vécue en simultané, en prenant forme grâce à une combinaison de composantes variées et grâce à la contribution de chacun. C'est pourquoi il est approprié de se demander où l'œuvre se situe, au juste?, dans ce chassé-croisé entre les particularités du médium alimentaire, le projet de l'artiste et la perception des individus qui le reçoivent.

1. Ce texte est écrit en lien avec mes études doctorales, qui portent sur l'image des aliments dans les pratiques performatives contemporaines. Aussi, je tiens à remercier Laurier Lacroix, mon directeur de thèse, de même que les professeurs Johanne Lamoureux, Jocelyne Lupien et Jean-Philippe Uzel pour les judicieux conseils qu'ils m'ont octroyés pour ma thèse et qui profitent à ce texte.

2. Je pense à la dépense improductive, qui prend son sens dans la perte, voire dans la plus grande perte possible, celle dont traite superbement Georges Bataille dans *La Part maudite* précédé de *La Notion de dépense*, Paris, Les Éditions de Minuit, coll.: Critique, 1949 et 1933 pour *La Notion de dépense* [2000].

3. Karen Moss, «Palliative Pleasures: The Interaction of Food and Performance Art», dans Colman Andrews, Alison Devine Nordström, Betty Fussell et coll., *Setting the American Table: Essays for the New Culture of Food and Wine*, Napa, COPIA: The American Center for Wine, Food & the Arts, 2001, p. 58.

4. Michel Onfray, *La Raison gourmande. Philosophie du goût*, Paris, Éditions Grasset & Fasquelle, coll. : Le Livre de poche. Biblio essais, 1995, p. 59-60.

5. Nommons, pour exemples, les *Orgien Mysterien Theater* (1957 –) d'Hermann Nitsch et la performance *Meat Joy* (1964) de Carolee Schneemann.

6. Toutes les informations sur la cuisine futuriste sont tirées de l'ouvrage suivant, qui est très complet. Filippo Tommaso Marinetti, Luigi Colombo (dit Fillìa) et Nathalie Heinich, *La Cuisine futuriste. F.T. Marinetti et Fillìa*, Paris, Éditions A.M. Métailié, 1981 [1982].

7. *Ibid*, p. 43-49.

8. Le premier repas futuriste, en 1931, le démontre. Dans l'ordre, il était constitué des quatorze services suivants : 1) Hors-d'œuvre intuitif (formule de madame Colombo-Fillìa); Bouillon solaire (formule Piccinelli); 3) Toutauriz, avec vin et bière (formule Fillìa); 4) Aéroplat tactile avec bruits et odeurs (formule Fillìa); 5) Ultraviril (formule P.A. Saladin); 6) Plasticoviande (formule Fillìa); 7) Paysage alimentaire (formule Giachino); 8) Mer d'Italie (formule Fillìa); 9) Salade Méditerranée (formule Burdese); 10) Pouletfiat (formule Diulgheroff); 11) Équateur + Pôle Nord (formule Prampolini); 12) Sucrélastique (formule Fillìa); 13) Réticulés du Ciel (formule Mino Rosso); 14) Fruits d'Italie (composition simultanée). *Ibid*, p. 75.

9. *Ibid*, p. 140.

10. D'ailleurs, le futurisme deviendra art officiel fasciste sous Mussolini et il mourra avec ce dernier.

11. La discipline de la performance prend naissance avec le futurisme de même qu'avec le dadaïsme, deux mouvements artistiques appartenant aux premières avant-gardes du début du siècle dernier, à un moment où l'utilisation de la nourriture en arts – dans les différentes formes artistiques picturales et sculpturales – est encore marginale. Ainsi, les repas futuristes sont les premiers à détenir un statut d'œuvre d'art, mais ils participent en plus à établir la performance en tant que discipline et à concevoir les aliments en tant que matériaux.

12. Le projet artistique futuriste – où l'œuvre d'art totale soutient un programme fasciste –, l'utopie distinguant les premières avant-gardes et le contexte socioéconomique à l'intérieur duquel elles ont évolué sont distinctifs. Tous trois ont peu à voir avec les intentions et valeurs artistiques de même qu'avec le contexte socioéconomique qui prévalent depuis la fin des années 1950, au moment où d'autres œuvres performatives impliquant des aliments ont été présentées.

13. Karen Moss, *op. cit.*, p. 62.

14. Pour une riche présentation du travail de Daniel Spoerri en lien avec le boire et le manger, lire Daniel Abadie (dir.), *Restaurant Spoerri. Maison fondée en 1963, 1, Place de la Concorde, Paris 75008*, Paris, Jeu de Paume et Réunion des Musées nationaux, 2002.

15. Catherine Morris, «Food», dans Darío Corbeira (dir.), *To Eat or Not to Eat*, Salamanque, Centro de Arte de Salamanca, 2002, p. 127-138. Il est à noter que le Centre Canadien d'Architecture, à Montréal, possède un fonds d'archives des plus intéressants sur l'œuvre de Matta-Clark.

16. Sophie Calle, *Sophie Calle. M'as-tu vue ?*, Paris, Centre Pompidou et Xavier Barral, 2003.

17. Anne-Marie Ninacs, *Massimo Guerrera. Darboral*, Québec, Musée national des beaux-arts du Québec, 2002. Conserver des traces significatives des œuvres à l'intérieur desquelles un repas est partagé constitue un défi de taille qui a été relevé par le Musée national des beaux-arts du Québec. En 2005, l'institution a acquis un ensemble d'objets permettant d'appréhender la complexité de *Darboral*.

18. Et auxquelles j'ajouterais, sans toutefois manifester l'envie d'effectuer un recensement des pratiques qui nous concernent, les différents projets du collectif World Tea Party et *The Dinner Project* (2004-2005), d'Iwona Majdan.

19. Les repas d'artistes pris en commun varient, en effet, d'une simple distribution d'un met ou d'un breuvage à l'intérieur d'une performance à des démarches qui se poursuivent sur de longues périodes, en passant par l'offre de repas complets dans un espace-temps précis.

20. Je renvoie le lecteur intéressé aux questions de convivialité et d'ouverture à mon essai «L'art, la théorie, la nourriture et le nouvel intérêt qu'elle suscite. Pourquoi le suscite-t-elle ? Pourquoi s'y intéresser ?» dans Mélanie Boucher (dir.), ORANGE. *L'événement d'art actuel de Saint-Hyacinthe / Contemporary Art Event of Saint-Hyacinthe*, Saint-Hyacinthe, EXPRESSION, Centre d'exposition de Saint-Hyacinthe, 2005, p. 159-170.

21. Le lecteur intéressé par la participation des sens de l'olfaction, du toucher ou du goût dans l'expérience esthétique sera heureux de lire les articles suivants : Jim Drobnick, «Reveries, Assaults and Evaporating Presence's: Olfactory Dimensions in Contemporary Art», *Parachute*, nº 89, janvier/mars 1998, p. 10-19; Jim Drobnick, «Recipes for the Cube: Aromatic and Edible Practices in Contemporary Art», dans Barbara Fischer (dir.), *Foodculture: Tasting Identities and Geographies in Art*, Toronto, YYZ Books, 1999, p. 69-79; Jim Drobnick, «Platefuls of Air» dans Scott Toguri McFarlane (dir.), *Eating Things*, *Public*, nº 30, 2004, p. 155-193; Jennifer Fisher, «Relational Sense: Toward a Haptic Aesthetics», *Parachute*, nº 87, juillet/septembre 1997, p. 4-11; Jennifer Fisher, «Performing Taste», dans Barbara Fisher, *ibid*, p. 29-47.

22. *Le Festin trouble* a été conçu en collaboration avec le chef Pierre Normand. Céline Marcotte et Alain-Martin Richard (dir.), *Les passés et futurs troubles / Disparate Past, Uncertain Future*, Québec, Folie/Culture, 2006.

23. Tirée de Joseph Beuys et Max Reithmann, *Par la présente, je n'appartiens plus à l'art*, Paris, L'Arche, 1988, p. 38.

24. Ou la sémiotique alimentaire, pour reprendre Roland Barthes. À ce sujet, voir l'article suivant : Roland Barthes, « Pour une psycho-sociologie de l'alimentation contemporaine », *Annales E-S-C*, vol. 16, n°5, 1961, p. 977-986.

25. *Ibid.*

26. Voir Claude Levi-Strauss, *Le Cru et le cuit*, Paris, Plon, coll. : Mythologiques, 1964., et, dans une moindre mesure, Ernst Gombrich, « La psychanalyse et l'histoire de l'art » dans *L'Écologie des images*, Paris, Flammarion, coll. : Idées et recherches, 1983 et 1953 pour la conférence *La psychanalyse et l'histoire de l'art*, p. 45-79.

27. < http://www.studio-orta.com>

28. Le lecteur intéressé par le collectif et le thé trouvera à lire dans Mélanie Boucher (dir.), *op. cit.*

29. D'ailleurs, la démarche de Rirkrit Tiravanija occupe une place significative dans l'ouvrage de référence de l'esthétique relationnelle, de Nicolas Bourriaud, *Esthétique relationnelle*, Dijon, Presses du réel, 1998 [2001].

30. Dans son célèbre *Essai sur le don*, l'anthropologue démontre que donner ne constitue pas un geste volontaire, gratuit et désintéressé comme l'entendement populaire le pense et comme la religion chrétienne s'applique à le démontrer. Acte intéressé, voire contraignant, il incarnerait au contraire une morale et une économie développées par les sociétés qui nous entourent et qui nous ont précédées, en s'articulant autour de trois grands principes : celui de donner, celui de recevoir et celui de rendre. Marcel Mauss, « Essai sur le don. Forme et raison de l'échange dans les sociétés archaïques », dans *Sociologie et anthropologie*, Paris, Quadrige, coll. : Puf, 1923-1924 [2003], p. 145-273.

31. < http://www.thedinnerproject.com>

32. François Morelli, *Home Wall Drawing. L'art de manger*, Limoges, Limousin Art Contemporain et Sculptures, 2004.

33. André-Louis Paré, « Question de goût ou nouvelle subjectivité ? », dans Mélanie Boucher (dir.), *op. cit.* p. 235.

Mélanie Boucher
Shared meals in contemporary art

Translated by Marcia Coüelle

Three-course Table d'Hôte[1]

Appetizer. Genesis with futurism Any search for the origins of the links between the creative act and the preparation of meals would be quite a quest, particularly given the multitude of artists, cooks, gastronomes and spendthrifts who, over the centuries, have seemingly sought to elevate culinary art to the status of "great art."[2] There were the black-garbed Nabi painters, who parodied ancient rituals at their monthly feasts.[3] And Alexandre Balthazar Laurent Grimod de la Reynière (1758-1838), the world's first restaurant reviewer, who orchestrated numerous banquets, not least of which his own funeral dinner in 1812, where his triumphant appearance to the grieving guests for a final homage no doubt added zest to the dishes they shared.[4] Other examples come to mind, notably the Roman Bacchanalia. At these extravagant orgies, where drunkenness went hand in hand with debauchery, the consumption of food and alcohol contributed to the expression of a drama whose components have inspired performance artists since the latter half of the twentieth century.[5]

That being said, of all the occasions combining art and food, I am firmly convinced that the events staged by the Futurist artists were the first to exploit cooking and shared meals as full-fledged artistic disciplines.[6] For, contrary to their predecessors, the Futurists did not develop their meals according to established nutritional or gustatory conventions. The finality of their creative projects was not governed by the taste, preparation, presentation and ascribed dietary value of the food. Quite the opposite! The edibles served as raw materials, just like wood or metal, and they were scrupulously prepared in keeping with the movement's principles – modernity, power, virility, speed and so on – as prescribed in the "Manifesto of Futurist Cooking," issued in 1931 by Filippo Tomasso Marinetti (1876-1944) and Fillìa (1904-1936).[7]

There was a semantic value to the Futurist dinner parties that bears consideration. Presented as linguistic metaphors by virtue of the menus, the appearance of the dishes and the declamation of their names to the guests,[8] these meals engaged not only taste, smell and sight but also speech and hearing, and even touch. They were designed to stimulate the whole range of senses, to harmonize with the shapes, colours and furnishings of the venue, and to be punctuated by various actions, as exemplified by this description of Aerofood:

"The diner is served from the right with a plate containing some black olives, fennel hearts and kumquats. From the left he is served with a rectangle made of sandpaper, silk and velvet. The foods must be carried directly to the mouth with the right hand while the left hand lightly and repeatedly strokes the tactile rectangle. In the meantime the waiter sprays the napes of the diners' necks with a *conprofumo* of carnations while from the kitchen comes contemporaneously a violent *conrumore* of an aeroplane motor and some *dismusica* by Bach."[9]

Futurist meals furthered the dream of total art by seeking to inject art into every facet of daily life. It is true that, prepared and eaten by an entire population three times a day, such meals would have drastically altered social habits. But it is equally true that they served as political propaganda, promoting authoritarian, *missionaristic* and totalitarian values under the reign of Fascist ideology.[10] Italians were exhorted to adopt a diet that would make them lean and strong, consistent with their supposed natural superiority over other races.

While Futurist cuisine was undeniably a precursor – and in more ways than those mentioned here[11] – it apparently had little influence on later performative works in which food was shared.[12] The first of these was likely *Spring Banquet* (1959), by Meret Oppenheim (1913-1985). Prefiguring feminist art, this Surrealist work involved three couples in a "fertility rite" during which they ate sea anemones from the body of a naked woman.[13]

Since the advent of the sixties, numerous artists have incorporated food into performative works. Among those specifically adopting the shared-meal method, Daniel Spoerri, with an approach grounded in the anthropological necessity of nourishment, hosted a series of dinners that began in 1963 at Galerie J in Paris. Transforming the exhibition space into a restaurant for the occasion, he created a variety of table d'hôte menus, including *Dîner carcéral* [Jail Dinner] and *Menu des homonymes* [Homonym Menu].[14] Gordon Matta-Clark (1945-1978) operated a restaurant called Food from 1971 to 1974, in Manhattan,[15] and Sophie Calle celebrated annually with The *Birthday Ceremony* from 1980 to 1993.[16] Rirkrit Tiravanija has been preparing and sharing curries for some fifteen years, and both of Massimo Guerrera's projects in progress, *La Cantine* [Canteen] (1995-) and *Darboral* (2000-), involve the distribution of food.[17] In addition to these ambitious works, whose power is equalled only by their (past or ongoing) duration,[18] there have been innumerable, more sporadic interventions deliberately involving the artists as cook or dining partner.

Beyond their many formal and content disparities,[19] it seems to me that the works entailing shared meals produced since the late fifties reflect a desire to establish convivial encounters and encourage openness towards difference in others.[20]

First course. Use of food The use of food is to my mind critical in the case of works in which it is consumed. This use implies that the edibles communicate something, that they are presented – *usually displayed, and viewed* – and that they are significant – *constituting, in fact, the appearance or the equivalent of a greater reality*. In this respect, they are analogous to the fruits, game birds and fish so skilfully rendered in seventeenth-century Flemish still lifes, for example, and to foodstuffs integral to many non-performative artworks since the first half of the twentieth century, such as the lumps of fat used by Joseph Beuys (1921-1986) in his sculptures. However, they differ radically in that they are ingested. The participants in performative creations where a meal is shared are called upon to make "full" use of the food by grasping its communicational potential *while at the same time* eating it.

As I see it, much of the aesthetic experience lived by people who partake of food in a performative context derives from their vitally concrete, corporeal contact with the substance.[21] When eaten or drunk, food responds to the primary human need for sustenance. Obviously, foodstuffs that are merely represented or displayed are not of use to the body's survival, but those ingested invariably are. And how could the body fail to recognize anything so valuable to keeping it alive?

Beyond or beneath consciousness, the ties that have bound humankind to comestibles since time immemorial are doubtless clearly graven in our minds, feelings and bodies. It is very possible, therefore, that this inner inscription, of which I am convinced, distinctly affects our perception of works that involve ingestion. And that along with the "normal" communication strategies through which people enter into contact with works of art, issues pertaining to consumption – which involves various acts and attitudes and reveals personality traits – come into play. Flavour, aroma, combination, appearance and quantity should all contribute, but also each person's subjective appreciation. This is no doubt what Claudie Gagnon was aiming for with *Le Festin trouble* (2005), where the tables, arranged like a maze, overflowed with judiciously conceived edibles: mounds of dyed eggs, vases filled with "artichoke and quail flowers," a hog's head, cupcakes with sugar eyes, etc.[22]

But does this then mean that a chocolate sculpture by Janine Antoni cannot raise issues of consumption because it is not eaten by the viewers that receive it ? Or that the same is true of *From Foot to Mouth* (2006), a troubling performance by Aude Moreau created for ORANGE II, in which the artist literally gulped down edible gelatine letters forming Joseph Beuys's pronouncement "Ego, the I, demands spiritual nourishment from the economy."?[23] No. They can and they do, but to a lesser degree than a shared meal, of course.

Main course. Meals with consumption and communication A way of eating that recurs, if not at fixed times, at least regularly, the shared meal conforms in large part to social conventions. While no longer necessarily subject to the structural formalities of the past, having a meal remains one of the world's most codified everyday activities. The foremost element affected by this codification, whose numerous factors include the status, number and dress of the partakers, is the nature of the food that is served.

Paradoxically, the significance of food[24] and its processing, distribution and ingestion does not appear to be fundamentally linked to physiological needs and nutritional value. Although the vital need to eat is, indeed, at the root of humankind's unshakable ties to edibles in general, other factors – as much social and cultural as personal, and whose influence we grasp only in part – colour our

perception of particular foods.[25] This subjective impression of what is appetizing, wholesome and tasty would explain why most Westerners refuse to eat dog meat while regularly consuming pork, the flesh of an animal with a form of intelligence and sensitivity no doubt equal to that of man's best friend. And yet dog meat is neither harmful nor unpleasant, witness its presence in the diets of many peoples.

It goes without saying that artists working with shared meals exploit the significance of the food, which has much to say about the diverse ways humans connect with the world. Emphasizing or altering the ascribed value of, say chocolate, tea, champagne or caviar – highly connoted items respectively associated with love, social conventions, celebrations and luxury – they also exploit such empirical categories as raw and cooked, fresh and rotten, soft and crunchy.[26] In *Le Festin trouble*, Claudie Gagnon sought to skew the habitual signification of certain foods by means of unusual presentations. In *Messe pour un corps* (1969), Michel Journiac (1935-1995) offered up his own blood for tasting in the form of sausage, recalling Christ's last supper. For *All In One Basket - Les Halles, Conservation Unit* (1997), Lucy Orta scoured public markets for discarded fruits and vegetables. Her gleanings were used to prepare succulent edibles marrying the fresh and the past-prime, the purchased and the foraged.[27]

Food, whatever its meaning, acts on the body, vivifying, satiating, calming, intoxicating or dulling it. It also affects communion around the table. Interchange, verbal and non-verbal, is the most striking difference between a solitary and a shared meal; communication, or the lack thereof, affects the experience and its outcome. When alcoholic drink flows freely, conversation tends to drift in directions not taken when tea is served. Conversely, the infusion served by the World Tea Party collective at all of its interventions since 1993 is associated with a savoir-vivre that favours polite intercourse.[28] For these reasons, artists who practice the shared-meal art form must reflect not only on the way foods and their meanings and effects combine, but also on the exchanges they are apt to prompt in a context freighted with intention. Judging by the large number of artists dealing with or otherwise connected to relational aesthetics since the mid 1990s, the issue of *exhange* is clearly a factor to be taken into account.[29]

The gift, defined with stunning acuity by Marcel Mauss (1872-1950),[30] is certainly the form of exchange most commonly used by the artists in question here. At ORANGE II, Gabriel Baggio and Raul Ortega Ayala offered the food they made as a gift, just as Iwona Majdan did in other circumstances: once a week, during the year-long *Dinner Project* (2005-2006), she prepared a dinner for four at the home of a stranger.[31] But gift-giving is not the only form of exchange, and each form has its own dynamic. At Matta-Clark's Food restaurant, the fare was sold, not given away. And with *Home Wall Drawing* (2004), François Morelli used bartering: an artwork for a meal.[32]

However, I believe that the food that circulates in performative art, whether given, sold or traded, follows a logic other than that of commerce. And that dishes cooked by artists take on a value far greater than that of a simple meal, since they *are* works of art.

Dessert. Endless hunger Shared meals in art make a fascinating subject because of their particular and complex capacity to shed light on various aspects of consumption (use) and communication (signification, exchange). And without dwelling on these notions, it is readily apparent that the objects and acts they entail are everywhere in today's society, making such meals all the more interesting. They also merit attention for their lineage, for the connection to the artistic modernity pursued by Futurism that I have attempted to demonstrate.

That being said, communal meals in contemporary art also challenge the bases of artistic modernity, in areas such as the durability and autonomy of the art object. Moreover, they raise the question of the status and role of artists who, for example, offer food and drink. What do they create that is not already available, and why create it at this point in human history? The meals they distribute provide an aesthetic experience that they share with the participants.[33] The artist lives it somewhat differently, of course, but so does each participant, depending on multiple factors in which subjectivity comes heavily into play. Nevertheless, it is lived simultaneously, taking shape through a combination of diverse components and individual contributions. All of this leads to a question: In the criss-crossing of food medium particularities, the artist's project and the perception of the individuals who receive it, just where does the artwork lie?

1. This essay was written in connection with my doctoral studies on the use of food in contemporary performative practices. As such, it has benefited from the sound advice on my dissertation offered by Laurier Lacroix, my dissertation director, and Professors Johanne Lamoureux, Jocelyne Lupien and Jean-Philippe Uzel, for which I thank them.

2. I am thinking here of the unproductive expenditure that takes its meaning in waste, indeed, the greatest possible waste, as superbly dealt with by Georges Bataille in *The Accursed Share, Volume 1: Consumption*, trans. Robert Hurley (New York: Zone Books, 1989). Originally published in French as *La Part maudite*, 1949. See also his 1933 essay "The Notion of Expenditure," in *Visions of Excess: Selected Writings, 1927-1939* (University of Minnesota Press, 1985).

3. Karen Moss, "Palliative Pleasures: The Interaction of Food and Performance Art," in *Setting the American Table: Essays for the New Culture of Food and Wine*, Doreen Schmid, ed. (Napa: COPIA: The American Center for Wine, Food & the Arts, 2001), p. 58.

4. Michel Onfray, *La Raison gourmande. Philosophie du goût* (Paris: Éditions Grasset & Fasquelle, 1995), pp. 59-60.

5. For example, Hermann Nitsch, in *Orgien Mysterien Theater* (1957-), and Carolee Schneemann, in the performance *Meat Joy* (1964).

6. The information provided on Futurist cuisine is drawn from two books based on the 1932 *La cucina futurista* by Filippo Tommaso Marinetti and Luigi Colombo (known as Fillìa): *La Cuisine futuriste*, ed., trans. and with an essay by Nathalie Heinich (Paris: Éditions A.M. Métailié, 1982), and *The Futurist Cookbook*, ed. and intro. Lesley Chamberlain, trans. Suzanne Brill (San Francisco: Bedford Arts, 1989).

7. *The Futurist Cookbook*, pp. 33-40.

8. This is illustrated by the fourteen courses of the first Futurist dinner, held in 1931: 1) Intuitive Antipasto (formula by Mrs Colombo-Fillìa); Sunshine Soup (formula Piccinelli); 3) Totalrice with wine and beer (formula Fillìa); 4) Aerofood, tactile, with sounds and smells (formula Fillìa); 5) Ultravirile (formula P.A. Saladin); 6) Sculpted Meat (formula Fillìa); 7) Edible Landscape (formula Giachino); 8) Italian Sea (formula Fillìa); 9) Mediterranean Salad (formula Burdese); 10) Chickenfiat (formula Diulgheroff); 11) Equator + North Pole (formula Prampolini); 12) Elasticake (formula Fillìa); 13) Network in the Sky (formula Mino Rosso); 14) Fruits of Italy (simultaneous composition). Ibid., p. 72.

9. Ibid., p. 144.

10. Futurism became the official art of Fascism under Mussolini and died out with his death.

11. The performance discipline emerged with Futurism and Dada, artistic movements spawned by the avant-gardes of the early twentieth century, when the use of food in the pictorial and sculptural arts was still marginal. The Futurist dinners, which were the first to earn artwork status, helped to establish performance as a discipline and food as creative material.

12. The Futurist art initiative, with "total artworks" supporting the Fascist agenda, the utopia of the early avant-gardes, and the socio-economic environment in which the avant-gardes operated are specific to their era. All three have little to do with artistic intentions and values or with the socio-economic context that has prevailed since the late 1950s, when other performative works involving food began to appear.

13. Karen Moss, p. 62 (see note 3).

14. For an extensive presentation of Daniel Spoerri's work with food and drink, see *Restaurant Spoerri. Maison fondée en 1963, 1, Place de la Concorde, Paris 75008*, Daniel Abadie, ed., exhib. cat. (Paris: Jeu de Paume and Réunion des Musées nationaux, 2002).

15. Catherine Morris, "Food," in *To Eat or Not to Eat*, Darío Corbeira, ed., exhib. cat. (Salamanca: Centro de Arte de Salamanca, 2002), pp. 127-138. It bears noting that the Canadian Centre for Architecture in Montreal holds a fascinating Gordon Matta-Clark archive.

16. Sophie Calle, *Sophie Calle. M'as-tu vue* ? (Paris: Centre Pompidou and Xavier Barral, 2003).

17. Anne-Marie Ninacs, *Massimo Guerrera. Darboral* (Quebec City: Musée national des beaux-arts du Québec, 2002). Conserving meaningful traces of works in which a meal is shared poses a considerable challenge. In 2005, the Musée national des beaux-arts du Québec took on the task by acquiring a group of objects that convey the complexity of *Darboral*.

18. With no intent to fully inventory such practices, I would add to these examples the various projects of the World Tea Party collective and Iwona Majdan's *The Dinner Project* (2004-2005).

19. Shared artist meals range from the simple distribution of food or drink as part of a performance to the offer of full meals in a given space-time to interventions extending over a long period of time.

20. For more on the notions of conviviality and openness, see my essay "Art, Theory and the Newfound Interest in Food: Why this interest? Why pursue it?," in *ORANGE. L'événement d'art actuel de Saint-Hyacinthe / Contemporary Art Event of Saint-Hyacinthe*, Mélanie Boucher, ed., exhib. cat. (Saint-Hyacinthe: EXPRESSION, Centre d'exposition de Saint-Hyacinthe, 2005), pp. 159-170.

21. On the role of the senses of smell, touch and taste in the aesthetic experience, see Jim Drobnick, "Reveries, Assaults and Evaporating Presences: Olfactory Dimensions in Contemporary Art," *Parachute*, no. 89 (January/March 1998), pp. 10-19; "Recipes for the Cube: Aromatic and Edible Practices in Contemporary Art," in *Foodculture: Tasting Identities and Geographies in Art*, Barbara Fischer, ed. (Toronto: YYZ Books, 1999), pp. 69-79; and "Platefuls of Air," *Public*, no. 30 (2004), special issue "Eating Things," Scott Toguri McFarlane, ed., pp. 155-193. See also Jennifer Fisher, "Relational Sense: Towards a Haptic Aesthetics," *Parachute*, no. 87 (July/September 1997), pp. 4-11; and "Performing Taste," in *Foodculture*, 1999, pp. 29-47.

22. *Le Festin trouble* was conceived in collaboration with chef Pierre Normand. See *Les passés et futurs troubles/Disparate Past, Uncertain Future*, Céline Marcotte and Alain-Martin Richard, eds. (Quebec City: Folie/Culture, 2006).

23. Joseph Beuys, in Max Reithmann, ed., *Par la présente, je n'appartiens plus à l'art* (Paris: L'Arche, 1988), p. 38.

24. Or the semiotics of food, to borrow from Roland Barthes. On this subject, see Roland Barthes, "Toward a Psychosociology of Contemporary Food Consumption," in *Food and Culture: A Reader*, Carole Counihan and Penny Van Esterik, eds. (New York: Routledge, [1997] 2008), pp. 28-35. Originally published in French as "Pour une psycho-sociologie de l'alimentation contemporaine," 1961.

25. Ibid.

26. See Claude Lévi-Strauss, *The Raw and the Cooked*, trans. J. and D. Weightman (London: J. Cape, 1969). Originally published in French as *Le Cru et le cuit*, 1964. See also, to a lesser extent, Ernst Gombrich, "Psychoanalysis and the History of Art," *International Journal of Psychoanalysis*, XXXV, 1954, pp. 401-411. Reprinted in *Meditations on a Hobby Horse*, 1963.

27. http://www.studio-orta.com

28. For more on this collective and tea, see ORANGE (see note 20).

29. Nicolas Bourriaud deals at length with Rirkrit Tiravanija in his reference work *Relational Aesthetics* (Dijon: Presses du réel, 2002). Originally published in French as *Esthétique relationnelle*, 1998.

30. In his famous essay *The Gift*, the anthropologist demonstrates that giving is not a voluntary, gratuitous, disinterested act, as commonly believed and preached by Christianity, but a self-interested, binding act steeped in a morality and an economy developed by past and present societies and based on three main principles: giving, receiving and returning. Marcel Mauss, *The Gift. Forms and Functions of Exchange in Archaic Societies* (London: Routledge, 1990). Originally published in French as "Essai sur le don. Forme et raison de l'échange dans les sociétés archaïques,"1923-1924.

31. http://www.thedinnerproject.com

32. François Morelli, *Home Wall Drawing/L'art de manger* (Limoges: Limousin Art Contemporain et Sculptures, 2004).

33. André-Louis Paré, "Question de goût ou nouvelle subjectivité ?," in ORANGE, p. 235 (see note 20).

Sylvette Babin
Que mangent les artistes ?

Menus, diètes et autres habitudes alimentaires dans l'art et dans la vie des performeurs

Manger est un geste d'affirmation de soi. Est-il plus bel exemple que celui d'Adam et d'Ève dans le jardin d'Éden qui, en choisissant de manger le fruit défendu de l'arbre de la connaissance, ont affirmé ainsi leur autonomie envers Dieu ? Ce geste mythique, qui aurait pu simplement être motivé par l'envie, la faim ou la gourmandise, apparaît comme le symbole d'un acte volontaire, celui de choisir sa destinée et de refuser l'ignorance imposée par un pouvoir dominateur. Bien entendu, nous sommes aujourd'hui affranchis de ce mythe de la création, mais nous constatons qu'une nouvelle forme de pouvoir a pris place dans le jardin planétaire et dicte plusieurs de nos comportements. L'industrie agroalimentaire est en quelque sorte devenue un nouveau Dieu face auquel le citoyen doit affirmer son autonomie.

Manger est donc un acte volontaire. Ce n'est plus seulement un réflexe lié à la survie du corps, mais bien une action motivée par des choix affectifs, économiques et politiques plus ou moins conscients. Si les goûts ne se discutent pas, ils impliquent chez le consommateur des décisions qui auront des répercussions sur notre environnement. La provenance des aliments, leur mode de production (intensive ou biologique) et leur mode de gestion (exploitation ou commerce équitable) sont des options aussi politiques qu'alimentaires par lesquelles le citoyen manifeste son engagement social autant qu'il exprime son individualité.

Sur la scène artistique, la nourriture est aussi un sujet / objet qui a séduit et « alimenté » de nombreux performeurs. Bien plus que de simples manifestations esthétiques, pour plusieurs d'entre eux il s'agit d'une réflexion sur les comportements alimentaires de notre société. Les artistes qui utilisent la nourriture comme matériaux ne sont évidemment pas tous engagés dans des démarches politiques ou écologiques, mais la plupart ont derrière eux une expérience personnelle, des habitudes et des attitudes alimentaires qui influencent chacun de leurs gestes. Aversions alimentaires, allergies, diètes, plaisirs particuliers et souvenirs d'enfance deviennent alors des matières à réflexion contribuant au développement de leurs pratiques artistiques. Souvent motivées par le désir d'effacer les frontières entre l'art et la vie, leurs performances prennent la forme de gestes banals que l'on pose chaque jour, dont ceux de cuisiner, de manger, de manipuler ou de partager la nourriture. On y perçoit tantôt un désir de reprendre possession d'un corps trop souvent abandonné aux diktats des modes et de l'esthétique, tantôt une volonté de souligner et de modifier des comportements sociaux acquis durant des décennies d'industrialisation.

Manger Les intolérances alimentaires de Victoria Stanton l'obligent à composer et à décomposer ses menus, à disséquer sa nourriture ou à se priver de plaisirs sucrés. Comme plusieurs Nord-Américains, l'artiste est née dans une famille hyper consciente des calories et obsédée par le

Victoria Stanton
*Bank of Victoria/
Cake Feeding*, 2001
Performance présentée
à Montréal
Photo : courtoisie de
l'artiste

surplus de poids, une famille obnubilée par l'amour/haine de la nourriture, par le désir insatiable de manger et la culpabilité de le faire. Chez Stanton, cette culpabilité prend des proportions suffisamment importantes pour que tout ce qu'elle porte à sa bouche initie un débat intérieur entre le bien et le mal. C'est probablement ce qui a motivé l'action *Today I Ate*, où quatre femmes ceinturées de gallons à mesurer, tenant à la main un livre traitant de régimes alimentaires, avalaient des galettes de riz empilées devant elles. Déjà le titre questionne. L'usage du mot « aujourd'hui » laisse sous-entendre que l'action de manger ne serait pas quotidienne comme chez la plupart des êtres humains. Sans allusion ici à un jeûne forcé dans un contexte de famine, la performance évoque plutôt l'abstinence volontaire liée à la diète ou à l'anorexie. L'obsession du corps parfait, l'oppression de la beauté et de la minceur sont flagrantes dans ce tableau où les corps de toutes proportions semblent vouloir défier les stéréotypes imposés.

Avec les séries de performances intitulées *Cake Feeding* et *Essen* – qui sont aussi des prétextes pour entrer en contact avec l'autre par le partage de la nourriture et par l'exploration du goût, de l'odorat et du toucher –, Victoria Stanton observe l'attitude du « mangeur ». À ce propos, elle a écrit : « How often have I sat down to eat a meal, my mind consumed by thousands of thoughts flipping through my brain at lightning speed until I find myself staring at an empty plate having absolutely no memory of what I put into my mouth[1]. » Dans *Cake Feeding*, elle fait préparer des gâteaux représentant divers symboles (par exemple un fac-similé de son diplôme d'études universitaires) ou arborant une phrase évocatrice (*Eat what you feel*), pour les offrir ensuite en dégustation au public qu'elle nourrit elle-même. L'expression « manger ses émotions » prend pleinement son sens dans cette action où l'artiste invite l'autre à ingérer ce qui provoque ses propres indigestions, ou ce qui serait à la source de certains états d'angoisse et de compulsion alimentaire (l'obtention d'un diplôme par exemple). Puis dans la série *Essen*, qui signifie manger en yiddish et en allemand, elle invite des personnes dans de chics restaurants, toutes ayant l'interdiction formelle de s'alimenter elles-mêmes, mais devant être nourries par un autre convive. Se faire nourrir, qui exige une grande part d'abandon envers l'autre, suscite par ailleurs toute une gamme d'affects chez ceux qui l'expérimentent. Non seulement cette situation crée-t-elle la frustration d'attendre que l'autre veuille bien nous alimenter, évoquant l'enfance ou l'invalidité, mais elle provoque aussi une perte de contrôle sur le geste le plus instinctif qui nous soit donné, se nourrir, faisant place à un sentiment de profonde impuissance. En contrepartie, cette prise de conscience envers ce que l'on mange, et envers le geste même de manger, donne certainement à la nourriture une toute nouvelle saveur.

Bread Le pain est l'un des aliments les plus utilisés en performance. Nourriture de base dans la plupart des cultures, symbole du corps dans le christianisme, le pain dans la performance amène inévitablement une réflexion sur la corporéité de l'artiste. En ce sens, les actions *Bread Head* de Karen Elaine Spencer (en collaboration avec Jessica MacCormack) et *Losing Face* de BBB Johannes Deimling (avec Franz Gratwohl) sont significatives. Dans les deux actions, qui prennent plutôt la forme de sculptures vivantes où peu de gestes sont posés, les artistes ont la tête recouverte de tranches de pain ou de pâte au levain. La disparition du visage transforme les individus en des sujets anonymes et sans identité, s'effaçant sous le pain qui ne sert plus ici à nourrir le corps, mais plutôt à le cacher ou à le protéger. Paradoxalement, ces corps s'imposent dans l'espace et semblent en revendiquer la propriété.

Enfant, Karen Elaine Spencer n'aimait pas les petits pois. Elle écrit : « J'étais très jeune. Il y avait une loi : manger tout ce qui se trouve dans son assiette. Mon père me faisait manger et je donnais l'impression de manger tout le contenu de la cuillère, mais j'entreposais les petits pois, comme l'écureuil, dans un coin de ma bouche. Personne ne me forcerait à avaler ce que je ne voulais pas [2]. » Elle ajoute également : « Avaler est un réflexe. Avoir des hauts le cœur aussi. Dresser une barrière entre soi et cet autre. En crachant les petits pois, vous créez des divisions. Vous revendiquez votre corps comme votre territoire et vous-même comme le souverain [3]. » Cette anecdote, que Karen Spencer appelle elle-même un acte de pouvoir, rappelle bien l'acte volontaire inhérent à l'ingestion de la nourriture. Chez elle, l'usage d'aliments, notamment le pain tranché et les oignons, relève d'un questionnement sur la place qu'occupe le corps (le sien et celui de l'autre) dans l'espace et dans la société. Résultat de l'industrialisation, le pain blanc, qui a longtemps été une marque de progrès et de richesse, est maintenant associé à une classe économiquement défavorisée. Aussi, si dans les performances de Spencer, le corps fait effectivement état de sa souveraineté par son rôle central et par l'attention qui lui est portée (la revendication du repos dans *Bread Bed* par exemple), les situations qui sont dépeintes laissent plutôt entrevoir une impossibilité de choisir liée à l'impuissance économique de nombreux citoyens. Dans *Expect Nothing*, une résidence d'un mois dans une maison de chambres du quartier Saint-Henri, Spencer remplit quotidiennement la pièce avec des tranches de pain qui sèchent au fil des jours, pour finalement les brûler. Puis avec le *work-in-progress* intitulé *Bread Bed*, l'artiste construit des lits de pain dans divers lieux, faisant quotidiennement le même rituel : acheter une trentaine de sacs de pain, les transporter à pied,

Karen Spencer
Bread Bed, 2003
Performance présentée
à la Galerie Verticale
Art Contemporain,
à Laval.
Photo : courtoisie
de l'artiste et de
Stéphan Bernier

en métro ou en autobus vers le lieu d'exposition, empiler graduellement les tranches en rangées de huit par dix-huit, puis s'y coucher et se reposer. À Paris, Spenser a choisi de créer cette installation dans la rue, à un endroit spécifique où dormaient des sans-abri, après avoir négocié l'espace avec l'un d'eux. Ces actions ont provoqué l'indignation de plusieurs citoyens, visiblement choqués par le pain étalé sur le sol, gaspillé. Pourtant, à Paris comme à Saint-Henri, personne n'a semblé se préoccuper de la situation de pauvreté non seulement pointée du doigt dans ces actions, mais présente à quelques pas.

L'artiste allemand BBB Johannes Deimling est né dans la ville d'Andernach, où le personnage du boulanger était emblématique. Il est issu d'une famille de dix enfants dans laquelle le repas était considéré comme une plate-forme communicationnelle. Pour la mère, préparer quotidiennement à manger pour une douzaine de personnes était en quelque sorte une entreprise dotée d'un système économique et logistique complexe. Le travail de Deimling est particulièrement influencé par ses souvenirs d'enfance –dont les anecdotes sont à la base de plusieurs performances–, mais il relate aussi un plaisir personnel lié à la cuisine, de l'achat des aliments à la confection des plats. Son amour pour la nourriture le mène à être extrêmement conscient du geste de manger et de celui de « ne pas manger ». En 1998, indigné d'entendre que des milliers d'enfants somaliens ne mangeaient qu'une minuscule poignée de riz par jour, alors que des centaines de tonnes étaient envoyées par les Nations Unies dans cette région, il entreprit une action de dix jours (*A Handful of Rice*) où il s'est nourri quotidiennement que d'une seule poignée de riz et de l'eau. À la fin du processus, il était épuisé, dépressif, mais n'avait plus faim.

BBB Joannes Deimling associe la nourriture et la performance parce que toutes deux sont éphémères, mais aussi parce qu'il considère l'une et l'autre comme étant des « événements sociaux ». En effet, la culture des aliments, leur commercialisation, la préparation des repas et la dégustation sont autant de micro-événements engageant la rencontre et la négociation entre les individus. Dévoilant diverses conditions humaines, ces contextes forment la base de ses performances. Dans l'action *Speechless*, son corps est recouvert de nouilles cuites en forme de lettres d'alphabet qui, à mesure qu'elles sèchent, s'en détachent peu à peu. Il y dénonce certaines situations sociales où le discours est abondant, mais ne génère aucune action concrète. Avec *Blanc*, il propose une série de tableaux vivants où des objets et individus sont recouverts d'une épaisse couche de farine, dans des positions évoquant des accidents ou des drames humains.

BBB Johannes Deimling
*Blanc #5 Haifa/one of
these days*, 2003
Performance présentée
au Podewil, Center for
Contemporary Arts
à Berlin
Photo : courtoisie de
l'artiste

Au cours d'une autre performance, il inscrit sur le sol le mot SUCCESS avec des craquelins. Se masquant le visage d'une miche de pain sur laquelle il a collé des yeux de papier et coupé une tranche en forme de sourire, il exécute des pas de danse en piétinant les biscuits jusqu'à ce que le « succès » soit réduit en poudre. Finalement dans *Geradeaus* (tout droit), Deimling entre dans une boulangerie, achète deux miches de pain dans lesquelles il enfonce les pieds, traverse la ville munie de ces « chaussures » jusqu'à ce que le pain se soit émietté puis entre dans une nouvelle boulangerie et recommence plusieurs fois le processus.

Dans plusieurs de ces actions brèves, l'humour et l'absurde sont utilisés comme vecteur pour souligner des situations aberrantes. La nourriture (principalement le pain ou ses dérivés) devient alors un prétexte servant à appuyer ses propos plutôt que l'objet principal de ses réflexions. À l'instar des performances de Karen Spencer, les actions de Deimling mettent en évidence le pouvoir évocateur de la nourriture, à un point tel qu'on en oublie les propriétés alimentaires pour ne voir que les métaphores proposées.

Si le fait d'utiliser la nourriture semble en quelque sorte rapprocher l'art et la vie, tel que le souhaitent plusieurs artistes, il va de soi que sortir la nourriture de son contexte pour l'insérer dans une œuvre d'art lui apporte aussi une nouvelle dimension métaphorique. En performance, l'association corps/nourriture décuple certainement le pouvoir symbolique intrinsèque à chacun. À partir de leurs expériences alimentaires, Victoria Stanton, Karen Spencer et BBB Johannes Deimling proposent différents « rituels » qui nous invitent à percevoir autrement nos modes de vie et de consommation, et à repenser le corps dans ses liens avec la nourriture, dans sa relation avec l'autre ainsi que dans son rapport à l'environnement. Mais ils nous invitent aussi à tourner notre regard vers d'autres perceptions, dont celle de voir dans la nourriture la dimension poétique qui aurait pu, peut-être, nous échapper.

1. *Ascent Magazine*, n° 28, hiver 2005, p. 20.

2. *esse arts + opinions*, n° 50, hiver 2004, p. 43.

3. *Id.*

Sylvette Babin
What Do Artists Eat?

Translated by Marcia Coüelle

Menus, Diets and Other Eating Habits in the Art and Life of Performers

Eating is an act of self-affirmation. What better example than Adam and Eve in the Garden of Eden, who, in choosing to eat the forbidden fruit from the Tree of Knowledge, declared their independence from God? This mythical gesture, perhaps motivated simply by desire, hunger or gourmandise, stands as the symbol of a deliberate act, the act of choosing one's destiny and rejecting the ignorance imposed by a higher power. The creation myth no longer holds us in thrall, of course, but another form of authority has sprung up in the global garden, and it dictates much of our behaviour. In a way, the agri-food industry has become a new god from which citizens must proclaim their autonomy.

Eating is thus a deliberate act. It is no longer a mere reflex linked to bodily survival, but an action prompted by more or less conscious emotional, economic and political choices. While tastes may not be open to discussion, they entail consumer decisions that have repercussions on our environment. The provenance of foodstuffs and their methods of production (intensive or organic) and management (exploitation or fair trade) are political and nutritional options by which people manifest their social commitment and express their individuality.

On the art scene, food is a subject/object that has fascinated and "nourished" numerous performers. In many cases, their work goes far beyond the simple aesthetic event to address the eating behaviour of our society. Obviously, not all artists who use edibles as material are political or environmental activists, but most have eating-related experience or habits or attitudes that influence their every action. Food aversions, allergies, diets, special treats and childhood memories thus become food for thought in developing their art practices. Often prompted by a desire to blur the line between art and life, their performances resemble routine daily activities, such as cooking, eating, handling or sharing food. Some reveal a wish to retake possession of a body too often abandoned to the dictates of fashion and aesthetics; others, a determination to point up and alter social behaviour acquired over decades of industrialization.

Eating Victoria Stanton's food intolerances oblige her to compose and decompose her menus, to dissect her food and deprive herself of sweet treats. Like many North Americans, she was raised in an obsessively calorie-conscious, weight-watching family obnubilated by its love/hate of food, by the insatiable desire to eat and the guilt of doing so. For Stanton, the guilt is so great that everything she puts to her mouth sparks an inner debate between good and evil. This is no doubt what inspired the action *Today I Ate*, in which four women bound with measuring tapes and holding diet books ate rice cakes piled in front of them. The title alone speaks volumes, since the word "today" suggests that the eating was not a daily act, as it is for most humans. The performance

Victoria Stanton
ESSEN, 2005
Performance présentée
à Ottawa
Photo : courtoisie
de l'artiste

alluded not to forced fasting caused by famine but, rather, to the voluntary abstinence of dieting or anorexia. The obsession with a perfect body and the oppression of beauty and slenderness were flagrant in this *tableau vivant*, where bodies of all shapes and sizes seemed determined to defy the imposed stereotypes.

With the performance series *Cake Feeding* and *Essen* – which are also pretexts for encounters with others through sharing food and exploring taste, smell and touch – Stanton observes the eaters' attitudes. Describing her own issues, she writes, "How often have I sat down to eat a meal, my mind consumed by thousands of thoughts flipping through my brain at lightning speed until I find myself staring at an empty plate having absolutely no memory of what I put into my mouth.[1]" For *Cake Feeding*, she has cakes made to replicate symbolic items (her university diploma, for instance) or iced with an evocative phrase (*Eat what you feel*) and then hand-feeds pieces to the audience. The expression "to swallow one's feelings" takes on its full meaning in these performances, where the artist asks others to ingest food that gives her indigestion, or that evokes states of anxiety and compulsive eating (such as in earning a diploma). In *Essen*, meaning "to eat" in Yiddish and German, she invites participants to chic restaurants on the strict condition that they let themselves be fed by another guest. Allowing someone else to feed you requires giving yourself over to the other person and awakens a range of emotions. The process is fraught with the frustration of waiting for the next bite, as in childhood or invalidity, and means relinquishing control over the most instinctive of acts: feeding yourself. The result is a profound feeling of helplessness. On the other hand, a new awareness of what you are eating and of the very act of eating definitely gives food a whole new flavour.

Bread Bread is one of the foods most widely used in performance art. A dietary staple in most cultures, a bodily symbol in Christianity, bread in performance inevitably leads to reflection on the artist's corporeality. In this sense, *Bread Head*, by Karen Elaine Spencer (in collaboration with Jessica MacCormack), and Losing Face, by BBB Johannes Deimling (with Franz Gratwohl), are significant. In both actions the artists appear like living sculptures, barely moving, their heads covered by sliced bread or bread dough. Concealing the face transforms the individuals into anonymous, identity-less subjects, effaced under the bread that here serves not to nourish the body but to hide or protect it. Paradoxically, these bodies command attention and seem to lay claim to the space.

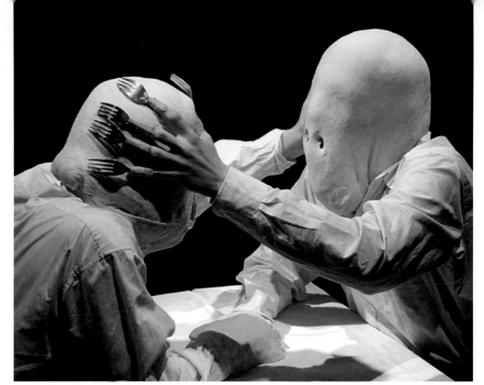

As a child, Karen Spencer hated peas : "When I was very young, there was a law : one eats everything on one's plate. My father would be feeding me and I would appear to eat everything on the spoon, but I would stash the peas, like a chipmunk, in the corner of my mouth. No one was going to make me swallow what I did not want. "[2] As she explains, "It is a reflex to swallow. It is also a reflex to gag. To set up a barrier between yourself and this other. You spit out peas, you create divisions. You claim your body as your territory and you as the sovereign ruler. "[3] This anecdote, which the artist sees as an act of power, reminds us that ingesting food is indeed a voluntary act. In her work, the use of sliced bread, onions and other edibles serves to question the place that the body (hers and others') holds in a given space and in society. The white bread that came about with industrialization and long symbolized progress and wealth is now associated with an economically disadvantaged class. Thus, in Spencer's performances, while the body effectively asserts its sovereignty through its central role and the attention it receives (for example, the right to rest, in *Bread Bed*), the situations portrayed allude to the lack of choice that befalls many economically powerless people. In *Expect Nothing*, which involved a month-long stay at a rooming house in the Saint-Henri district, Spencer daily filled the room with slices of bread, left them to dry out and ultimately burned them. For the subsequent work-in-progress titled *Bread Bed*, she built beds of bread in various places, performing the same ritual every day : buying thirty loaves of bread, carrying them on foot or by metro or bus to an exhibition venue, methodically stacking the slices in rows of eight by eighteen, then lying down on them to rest. In Paris, she chose to create this installation on the street, at a place where homeless people sleep, and had to negotiate space with one of the occupants. *Bread Bed* aroused widespread indignation ; people were shocked to see bread spread on the ground, wasted. Yet in Paris and Saint-Henri alike, no one seemed concerned about the poverty to which these actions pointed, just steps away.

The German artist BBB Joannes Deimling was born in Andernach, known as the City of the Baker's Apprentices. He grew up in a family of ten children where meals were seen as opportunities

Karen Spencer
Expect Nothing, 2000
Performance présentée
dans une chambrette
située au 4301,
rue Saint-Jacques,
à Montréal.
Photo : courtoisie de
l'artiste et de
Paul Litherland

for communication. For his mother, feeding a dozen people every day was somewhat like running a business with a complex financial and logistical system. Deimling's work is largely influenced by childhood memories – his performances often draw on anecdotes – but it also relates the pleasure he takes in cooking, from shopping for ingredients to preparing the dishes. His love of food makes him acutely aware of the act of eating, and of the act of "not eating." In 1998, appalled to learn that thousands of Somali children were subsisting on a tiny handful of rice a day while the United Nations was shipping hundreds of tons of rice to the region, he undertook a ten-day action (*A Handful of Rice*) during which his daily diet consisted of a handful of rice and water. At the end of the process, he was exhausted and depressed, but no longer hungry.

Deimling associates food and performance because both are ephemeral, but also because he sees both as "social events." And in fact, growing, selling, preparing and eating food are all micro events that engage people in encounters and negotiations. These contexts reveal diverse human conditions and form the bases of his performances. In *Speechless*, his body is covered with freshly cooked alphabet noodles that gradually fall off as they dry. The purpose is to denounce social situations that abound with talk but lead to no concrete action. For *Blanc* (White), he creates a series of *tableaux vivants* in which objects and people covered with a thick layer of flour are posed in positions suggestive of accidents or human drama. In another performance, he spells out the word SUCCESS on the floor with crackers. Then, masking his face with a loaf of bread fitted with paper eyes and a cut-out smile, he dances over the crackers, crushing them until the "success" is reduced to powder. Lastly, in *Geradeaus* (Straight Ahead), Deimling goes to a bakery, buys two loaves of bread, puts them on his feet like shoes, walks around the city until the bread crumbles, then stops at another bakery and repeats the process, several times.

In many of these brief actions, humour and absurdity are used as a vector to draw attention to aberrant situations. The food (chiefly bread or bread-based) is a pretext that supports the artist's statement, rather than the main focus of his reflections. Like Karen Spencer's performances, Deimling's actions evince the evocative power of food, so much so that one forgets its nutritional properties and sees only the proposed metaphors.

If the use of food somehow seems to bring art and life together, as many artists intend, it goes without saying that, when taken from its normal context and incorporated into a work of art, food also acquires new metaphoric dimension. In performance, the body/food association unquestionably magnifies the intrinsic symbolic power of both components. Drawing on their food-

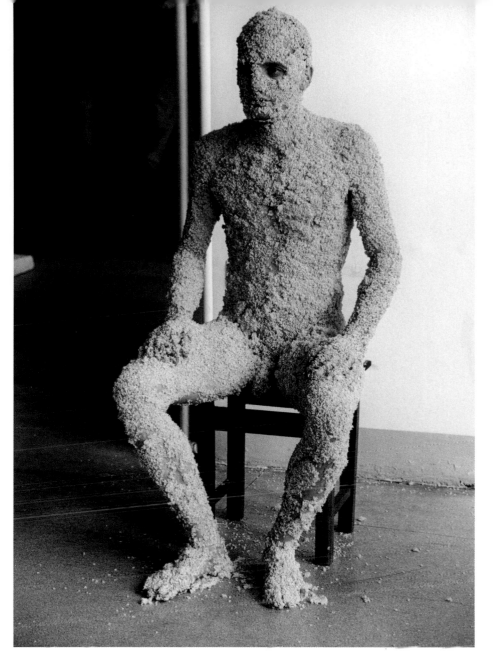

related experiences, Victoria Stanton, Karen Spencer and BBB Joannes Deimling propose diverse "rituals" that invite us to take a fresh look at our lifestyles and consumer habits and to rethink the body in its connections with food, in its relationship with others and with the environment. But they also invite us to open our eyes to other perceptions, including an awareness of the poetic dimension of food, which we may have overlooked.

1. *Ascent Magazine*, no. 28 (winter 2005), p. 20.

2. Published in French translation in *esse arts + opinions*, no. 50 (winter 2004), p. 43.

3. Ibid.

Scott Toguri McFarlane
Le labyrinthe du Mondor, et autres fables à ORANGE

Traduit de l'anglais par Colette Tougas

Les mots me manquent pour dire ma déception lorsque j'ai d'abord franchi l'escalier menant au Mondor. J'y venais avec de grandes attentes et j'avais hâte de voir l'état d'un des plus intéressants projets de commissariat sur la nourriture et l'art. Mais quel triste spectacle s'offrait à moi! Une rangée de tables couvertes de restes, de casseroles sales, de tasses renversées et de serviettes froissées! Des ustensiles de cuisine avaient été empilés dans un coin. Une odeur de maïs soufflé se mêlait encore aux faibles arômes d'alcool, de curry et d'huile de cuisson de la veille. À ma gauche, le pourtour d'un impeccable tapis en sucre d'Aude Moreau avait été ébouriffé. Quelqu'un avait dû trébucher hier soir. À ma droite, le *Jardin Chow Chow Garden* de Karen Tam – le plus récent d'une série de restaurants chinois reconstitués par l'artiste – semblait attendre l'arrivée des employés du matin. Les chaises étaient en retrait des tables et la composante vidéo jouait pour personne. Les joyeux convives avaient quitté depuis belle lurette et étaient probablement en train de se remettre des festivités bruyantes de la nuit précédente. Quand il est question de bouffe, tout est dans le timing et, à en juger par le désordre devant lequel je me trouvais, j'avais raté un vernissage fantastique. Dans le calme vide du Mondor, j'entendais mon estomac se plaindre.

Le Mondor est l'un des nombreux sites de Saint-Hyacinthe utilisés dans le cadre de Como Como, la deuxième édition d'une série d'expositions et de performances, portant sur des questions de nourriture et d'alimentation, mise sur pied par EXPRESSION. La série elle-même s'intitule ORANGE. Elle se déroule sous la direction de Marcel Blouin, bien que chaque édition soit produite par une équipe de commissaires. Cette année, les commissaires ont eu recours à différentes stratégies d'installation sur les deux sites principaux. Si l'exposition collective dans la galerie d'EXPRESSION était montée de manière plutôt simple (images photographiques accrochées aux murs et entourant une installation ravissante de fleurs séchées, réalisées par Thérèse Chabot, dans la grande salle, suivie d'une installation vidéo pleine d'esprit de Marc-Antoine Phaneuf dans la petite salle), l'exposition au Mondor était étrangement labyrinthique, menant les visiteurs le long de corridors donnant sur une constellation de mondes fabuleux gravitant autour de l'alimentation comme sujet.

J'utilise le mot « fabuleux » non seulement pour souligner la force de l'exposition, mais aussi pour suggérer que la présentation au Mondor signalait l'apparition de nouvelles fables procédant à une remise en scène de l'univers de l'alimentation. Je ne m'étais toutefois pas encore fait une idée générale de l'exposition, me trouvant toujours devant de la vaisselle sale, et j'étais fâché contre moi-même : ceux qui prennent plaisir à manger devraient assister aux vernissages qui occupent une place si importante dans l'art gastronomique. Et c'est donc avec le poids de cette arrivée tardive que je me suis détourné des restes qui me regardaient, pour commencer à me frayer un chemin dans le dédale du Mondor.

J'ai d'abord croisé le tapis en sucre, réalisé par Aude Moreau, qui reposait dans un coin de l'espace d'exposition où l'éclairage était tamisé. Son périmètre était délimité par un motif en noir et rouge, qui rappelait les salons européens de la fin du XVIIIe siècle et du XIXe siècle. Contrastant avec la sensibilité immaculée de ce tapis cristallin à dominante blanche, les murs adjacents étaient parcourus de peintures murales à la gouache noire montrant un champ de cannes à sucre en train d'être coupées. Les mots SLAVE CULTURE avaient été écrits au pochoir, en l'envers, sur une fenêtre, de manière à être lus à l'extérieur. Dessous, les mots SAVE REVOLT étaient tournés vers l'intérieur.

Cette utilisation de texte par Moreau venait souligner la référence didactique faite par l'œuvre au rôle troublant joué par l'esclavage et le commerce du sucre antillais dans le développement du capitalisme industriel. Par son sujet, *Tapis de sucre* rappelle la série des « Sugar Children » (1996) de Vic Muniz, dans laquelle celui-ci a reproduit des photographies qu'il a prises d'enfants travaillant dans des plantations à St. Kitts, en mettant du sucre sur du papier noir puis en re-photographiant le résultat. Par l'étonnant effet de salon qu'elle dégageait, l'œuvre de Moreau m'a toutefois semblée plus architecturale et, en ce sens, moins jolie que les portraits de Muniz. En fait, l'aspect graphique en noir et blanc de l'installation évoquait la portée morale de l'important ouvrage d'Eric Williams, *Capitalism and Slavery* (1944), texte fondateur qui décrit le rôle central des plantations antillaises dans l'essor du capitalisme.

Les effets psychologiques de l'histoire étaient indiqués ici de manière subtile. Faisant à la fois face à l'intérieur et à l'extérieur du Mondoi, le texte mettait en place ce que W.E.B. Du Bois, dans *The Souls of Black Folks* (1903), décrivait éloquemment comme étant les « efforts irréconciliés » d'une « conscience double ». Cette « dualité », avance Du Bois, a été imposée aux Noirs par la société dominante blanche et a exigé la formation d'une conscience en perpétuelle négociation avec les soi-disant valeurs universelles des cultures coloniales et avec l'exclusion violente des corps noirs de ces fantasmes. Bref, elle a forcé les Noirs à se voir eux-mêmes comme étant à la fois, ce qui est impossible, à l'intérieur et à l'extérieur de la race blanche [1].

La subtilité de l'engagement apparemment didactique de *Sugar Carpet* avec l'histoire du sucre était amplifiée par le vide émouvant de l'installation, le tapis scintillant n'ayant jamais été piétiné. D'une part, ce vide évoquait les vies englouties dans la production historique du sucre, alors que le périmètre noir et rouge était chargé d'associations corporelles viscérales. D'autre part, la sensation de ces corps absorbés par le sucre, plutôt que le contraire, ajoutait une certaine étrangeté.

Selon Mark Hamin, c'est durant la période victorienne que les chimistes et les physiologistes, sous l'influence d'études sur le rendement du carburant, ont prolongé l'étude de la consommation d'énergie à l'alimentation et à la calorimétrie, entraînant le corps dans la discussion générale sur le rendement des carburants. À la fin du XIXe siècle, le corps, en tant qu'organisme consommateur de calories, faisait l'objet de recherches en économie industrielle et domestique[2]. La quantité minimale et les sources calorifiques les plus efficaces requises pour maintenir en vie les esclaves aussi bien que les ouvriers étaient d'un grand intérêt, et ce afin de produire des biens qui seraient consommés par la bourgeoisie. Si l'on comprend le déplacement des esclaves de l'Afrique aux Antilles comme faisant partie d'une mobilisation généralisée des «systèmes énergétiques» de la planète pour alimenter l'Europe et la croissance du capitalisme, alors le sucre ne fait pas qu'ajouter aux besoins du corps ouvrier ; il participe à une économie plus vaste de consommation de carburant qui absorbe systématiquement le corps en tant qu'énergie. Le développement de l'industrie du sucre marque ainsi l'étrange disparition du corps dans le discours sur l'efficacité de l'énergie mondiale.

Le vide dans le salon de l'absorption énergétique de Moreau créait un effet antagoniste, mettant en cause l'idée même d'histoire. Comment rendre compte non seulement de la disparition des corps mais aussi de la notion de corps dans le foyer incandescent des concepts bourgeois de l'histoire ? Au nom de qui ou de quoi ? Le corps bourgeois, s'il est concevable, doit être extirpé des entrailles en feu de l'industrialisation qui, sans cesse, le consume. Les théories sur l'évolution doivent donc être mises constamment en scène par un travail psychologique. Le regard fixé sur le salon vide, je me rappelais une phrase du poème de T. S. Eliot intitulé «The Love Song of J. Alfred Prufrock» : «I have measured out my life with coffee spoons» [J'ai pris la mesure de ma vie avec des cuillères à café]. C'est comme si l'installation transmettait la violence coloniale héritée de ce poème du début du XXe siècle, la violence physique, physiologique et raciale inscrite dans la rationalisation temporelle et répétitive des jours de la semaine industrielle et de l'heure du thé dans le salon victorien-moderne. On pourrait peut-être avancer que la trace de cette violence était véhiculée par le poète moderne au moyen du paradoxe de la répétition monotone et de la disjonction temporelle qui tourbillonne dans chaque tasse de thé Darjeeling sucrée et poliment remuée. À la fin, le tapis de Moreau s'avérait un moyen de repenser le colonialisme comme étant, en partie, une scène mondiale d'alimentation à laquelle se nourrissent les fables de plus en plus anxieuses des histoires que nous invoquons pour nous préserver.

Avançant dans le labyrinthe du Mondor, j'entrai dans l'alcôve suivante et tombai sur deux grands coqs perchés sur des piédestaux en bois blanc. Ils marquaient l'entrée du *nouveau monde* de Cooke-Sasseville, une scène complexe peuplée de grands animaux de la ferme en plastique et entièrement couverts de maïs soufflé[3]. Par l'utilisation de grains éclatés, ce «nouveau monde» dégageait une sensation à la fois filmique et cosmologique. J'avais l'impression de me trouver dans une constellation du zodiaque où les étoiles explosent, dans une nébuleuse où les formes familières disparaissaient au profit d'autres, plus proches d'un dessin animé que d'un animal en chair et en os.

Le maïs appartient, en fait, à une constellation complexe de discours historiques, dont plusieurs sont évoqués dans *Le nouveau monde*. Originalement domestiqué en Amérique centrale, le maïs a par la suite été cultivé par les Premières Nations de ce continent puis par les colonisateurs, devenant éventuellement une importante source d'alimentation pour les animaux d'élevage. L'esthétique de « foire agricole » de l'œuvre relie cependant les « animaux de maïs » de Cooke-Sasseville à l'introduction de programmes d'élevage, de compétitions et d'encans en Europe au XIXe siècle, tous essentiels au développement de l'agriculture industrielle.

Les foires agricoles et les démonstrations de maïs ont joué un rôle d'égale importance en Amérique du Nord, mais les grains de maïs éclatés du *nouveau monde* suggèrent davantage la période suivant la Seconde Guerre mondiale, alors que les compagnies chimiques réorientaient leur recherche et développement, passant de l'armement à l'agriculture et aux produits pharmaceutiques et initiant ainsi tout un réseau de changements dans la pratique agricole. Selon Marc Finlay,

Ces changements ont été particulièrement apparents dans la production d'animaux d'élevage, alors que les agriculteurs et les industriels participant à leur entreprise cherchaient à refaçonner et à réinventer les organismes à l'aide de moyens qu'ils estimaient convenir à une société industrielle. Des innovations dans les aliments médicamentés, dans les maisons préfabriquées et dans les paysages re-configurés ont incité les agriculteurs à accroître la taille de leurs investissements dans leurs opérations d'élevage, à manipuler le cycle naturel de reproduction, de naissance, de sevrage, de reproduction à nouveau et d'abattage, et à mener leurs affaires dans des opérations de plus en plus confinées, rationalisées et centralisées. C'est sur l'industrie du poulet à rôtir que ces changements ont produit l'effet le plus intense, mais ils ont également réduit la taille des dindes et fait en sorte que leur tempérament s'adapte à une vie à l'intérieur, ont déplacé les opérations de finition du bétail sur des terrains de taille industrielle et ont fait passer les cochons des prés à des installations confinées à l'intérieur[4].

Alors que les États-Unis entraient en guerre froide, le développement de variétés de maïs à haut rendement et la production d'animaux d'élevage de grande taille, nourris de maïs enrichi de vitamines, d'antibiotiques et de stimulants de croissance, devinrent des symboles de fierté nationale. « Nous entendons beaucoup parler d'énergie atomique, ces jours-ci, déclarait le secrétaire à l'agriculture et futur vice-président Henry A. Wallace, mais je suis convaincu que les historiens classeront l'exploitation du pouvoir hybride comme étant tout aussi important[5]. » Donc, dans un certain sens, avec son allure de fermette et son aspect ludique, *Le nouveau monde* faisait allusion, sous le couvert d'une pastorale américaine optimiste, au rôle musclé joué par l'agriculture et l'élevage, ainsi qu'à l'importance excessive de l'alimentation durant la guerre froide. Ce nouveau monde mythique semblait enraciné dans la propagande de l'après-guerre qui faisait du garde-manger et du réfrigérateur bien remplis les symboles de la supériorité culturelle du capitalisme américain et la première ligne de défense contre la menace nucléaire. Dans le paysage onirique proposé par cette œuvre, c'est en mangeant que la république se fraie un chemin vers la gloire.

Inversement, la longue disposition linéaire des animaux dans l'alcôve ressemblait étrangement au célèbre tableau panoramique d'Alexis Rockman, intitulé *The Farm* (2000), qui se veut un avertissement contre les effets de la génétique sur l'élevage aux États-Unis. Étant enveloppés de maïs soufflé, ces animaux m'ont rappelé les histoires d'horreur sur l'engraissement de plus

Alexis Rockman
The Farm, 2000
Huile et acrylique sur
panneau de bois
243 x 304 cm
Photo : Courtoisie de la
galerie Leo Koenig inc.,
Williamsburg, Brooklyn.

en plus accéléré des animaux d'élevage, résultant en des corps en déroute : infection, enflure et, dans certains cas, rupture du pis de la vache due aux effets de la somatotropine bovine ; l'image maintenant familière de poulets gonflés aux antibiotiques et aux stéroïdes, débordant de leurs petites cages ; l'épouvantable histoire du misérable cochon de Beltsville, poilu, souffrant d'arthrite et de cécité, résultat des manipulations génétiques de la USDA, incorporant de l'ADN humain pour accélérer la croissance[6] ; et tous les problèmes liés à la nourriture et à la production qui ont entraîné la maladie de la vache folle, le virus de la grippe aviaire et la fièvre aphteuse. Et, bien sûr, l'explosion de l'obésité, l'une des plus importantes crises de l'après-guerre.

Si *Le nouveau monde* mettait en jeu le rêve de Jefferson de voir les gens se sustenter d'aliments fournis en abondance par une ferme salubre, c'est toutefois uniquement pour en signaler la mort. J'ai été frappé par le fait que les animaux qui étaient devant moi, avec l'avènement du génie génétique, n'existaient plus comme entités individuelles. L'ADN du cochon peut être combiné à celui des humains. Moutons et chèvres ont été clonés. La résistance aux herbicides a été intégrée au maïs par manipulation génétique de sorte que vous pouvez tuer tout dans un champ à l'exception du produit agricole – du moins en théorie. La vie biologique telle que nous l'avons connue n'existe plus, tout comme les fables et les ordres symboliques qui nous permettaient de comprendre ce que nous mangeons. Il y a quelque chose d'un peu fou à regarder une vache surréaliste en maïs soufflé. J'avais l'impression d'attendre l'émergence d'un nouvel ordre ou d'un nouveau récit, de regarder un dessin animé dans lequel tous les personnages ont été tués et d'attendre le prochain épisode.

En termes esthétiques, cette œuvre déployait une rhétorique de l'animation, rhétorique amplifiée par son clin d'œil au cinéma avec le maïs soufflé. Les graines du monde vivant avaient éclaté et pourtant elles étaient cueillies autrement. Ce lieu d'attente entre deux épisodes est le site de ce nouveau monde. Envahi par un sentiment de sublime fantastique, j'ai dirigé mes pensées vers le point de fuite de toutes les graines en train d'éclater autour de moi. Au moment où je me tournais pour quitter le théâtre de ce récit, ces animaux caricaturaux m'ont semblé totalement capables de ressusciter. Mais sous quelle forme ? Et cet élan vers un sublime explosif était-il en fait, une manière familière d'articuler le désir d'un corps renouvelé et purifié par le feu ? En me dirigeant vers le prochain couloir, étais-je en train de quitter une fournaise et une histoire politique du sublime qui s'est exprimée en mettant des corps à la fournaise ?

Ce sont ces micro-ondes gothiques qui occupaient mon esprit en parcourant le périmètre ombreux du *Jardin d'artifices* de Marc Dulude. Je notai les sculptures arborescentes et incandescentes ainsi que les insectes mécaniques tourneurs qui bourdonnaient près de moi, mais ce monde apparemment primordial et secret devrait attendre à plus tard, parce que le fil de mon périple dans le labyrinthe me menait inéluctablement à une photocopie en couleur accrochée au mur, tel un signe aléatoire offrant des directions aux passants.

L'image représentait un arbre à desserts chargés de friandises indiennes, situé dans ce qui semblait être d'un grand hôtel. En arrière-plan, à travers les fenêtres, se profilait New York. Tournant à gauche, je me mis à suivre un couloir tapissé de constellations d'images : coupures de presse téléchargées, plan géographique, carte postale, affiche des tours jumelles, billet d'un dollar de 2001. On aurait dit les recherches désordonnées d'un paranoïaque étalées sur le mur, toutes retraçant la vente, par encan secret, de trois cents tonnes de ferraille, provenant du *ground zero* du World Trade Center effondré, à des compagnies au Singapour, en Chine et en Inde.

M'avançant dans le corridor sinueux, je me trouvai devant une vidéo montrant la fabrication de marmites dans une usine en Inde. L'odeur de curry s'accentuait et je me doutais bien de ce qui m'attendait. Le corridor donnait sur une pièce où se tenait un arbre à desserts semblable à celui sur la photocopie. Un repas avait été cuisiné, servi et mangé, probablement le soir précédent. Que des débris du World Trade Center aient pénétré le corps des convives était suggéré par l'odeur persistante du repas et par l'« expérience moléculaire » consistant à la respirer.

Le titre de l'œuvre de Raul Ortega Ayala, *Melting Pots*, ajoutait le cadre conceptuel d'un multiculturalisme liquéfié et liquéfiant. Au sein de cette rencontre culturelle poreuse, l'échange n'était pas structuré par des discours nationalistes ou ethniques, mais par une fable qui traçait les impressions persistantes mais de plus en plus faibles de corps incinérés, sur une route commençant à New York avec la survie de restes minuscules de métal fondu, passant par des dépôts de ferraille et des voies de transport pour aller à des villes d'acier en Inde comme Mandi Gobindgarh dans le Punjab, survivant d'une manière quelconque à l'extraction par fusion, s'accrochant à des réseaux de distribution menant à des usines de fabrication de marmites, passant par les mains d'ouvriers, avant de revenir en Amérique du Nord et à Saint-Hyacinthe, dans Le Mondor et, dans le frémissement d'un curry, devenu nourriture dans un bol, aliment sur la langue puis dans le corps.

La cartographie de cette route est une fable sur l'aura. Si vous n'êtes pas convaincus de la force socio-culturelle et politico-économique de l'aura du corps, vous devriez savoir que très peu de gens seraient disposés à enfiler un pull porté par Hitler[7]. Vous devriez également savoir que les dépôts de ferraille ont cessé d'accepter les cargaisons de *ground zero* quand ils en ont appris la provenance[8]. *Melting Pots* suggère que le lieu où l'on mange a une sorte d'aura qui est caractérisée par les traces minuscules laissées par les autres, traces de leurs vies, de leurs corps, de leurs souvenirs et de leurs histoires prises dans le curry du corps. La faiblesse de ces traces demande une réaction de la part de ceux et celles qui s'en nourrissent. Finalement, l'installation sous-entendait que l'absorption de cette nourriture passait par un discours sur la responsabilité, initié par l'aura de ces autres dont nous nous alimentons.

Cependant, la fable selon laquelle les repas sont empreints d'autrui donne l'impression d'être un alibi qui cache un malaise culturel plus vaste. Dans *Melting Pots*, cette « aura fabuleuse » est liée à la mémoire d'acier des secouristes qui ont ressassé les restes de *ground zero* en utilisant, entre autres technologies, les analyses génétiques médicolégales. Cette fable opère à un plan moléculaire et présume qu'on peut faire s'équivaloir des fragments minuscules et un corps original.

Mais le développement des archives génomiques sophistiquées, de la transgénèse et du clonage insiste sur la notion que les espèces et les corps individuels font partie des systèmes de croyance et des récits idéologiques qui guident nos vies au quotidien. Ces fables en accord desquelles nous vivons sont, dans les faits, minées par les biotechnologies contemporaines. Les corridors du labyrinthe de *Melting Pots* n'évoquent donc pas tout simplement l'aura de ceux et celles qui ont péri dans l'effondrement des tours ; ils parlent également de la fonction de l'aura comme alibi. En bout de ligne, nous faisons l'expérience de l'écroulement de l'architecture du corps en général, de son explosion moléculaire et, dans le cas du nouveau monde, de sa combinaison avec des éléments autres, pas nécessairement de nature humaine. Le repas servi par *Melting Pots* déborde parce qu'il lui manque un corps et un contexte pour le contenir. Le site du repas se consume lui-même.

En termes conceptuels, la scène de *Melting Pots* est dépourvue d'archives : il n'existe pas de corpus de réflexion et de mémoire pour la contenir ; il n'existe pas d'architecture dans laquelle elle peut avoir lieu. Il s'agit d'un des traumatismes entraînés par *ground zero*. Mais j'ai également rencontré cette vacuité dans les calories brûlées du salon vide de Moreau et dans la ferme éclatée de Cooke-Sasseville : une sensation de particules, de pièces détachées sans histoire. Ainsi, errer dans les corridors et les constellations du Mondor était une expérience à la fois étrange et merveilleuse. À plusieurs reprises, j'ai eu l'impression d'être dans une scène laissée par les convives de la veille, une scène ouverte à des fables multiples.

Alors que je m'apprêtais à quitter l'édifice, l'idée me vint qu'il était possible, peut-être, que tout art traitant de nourriture puise son impulsion dans cette rencontre hypothétique avec un lieu où l'on mange qui est dépourvu d'archives et qui est inconsommable. Autrement dit, l'esthétisation de la nourriture répond peut-être à l'anxiété mnémonique troublante qui est perceptible dans chacune des constellations du Mondor. L'histoire de nos aliments semble être en voie de disparaître par les temps qui courent, et l'absorption d'aliments est devenue un acte plus dérangeant. En réaction à ces anxiétés, les commissaires de l'exposition avaient préparé un vernissage, une occasion de manger et de boire en compagnie de gens qui l'apprécient et qui savent partager des histoires animées. L'événement du Mondor ne s'intéressait cependant pas qu'à la consommation ; il comportait également le fait d'être touché par les traces de phénomènes qu'on ne peut pas complètement absorber, par les culs-de-sac, les ouvertures ratées et les passages à demi remémorés qui marquent chaque lieu labyrinthique où l'on mange.

Dans un essai aujourd'hui fréquemment cité, Derrida avance que l'art de bien manger comporte une part morale : « "Il faut bien manger" ne veut pas d'abord dire prendre et comprendre en soi, mais apprendre et donner à manger, apprendre-à-donner-à-manger-à-l'autre[9]. » Me retrouvant dans la lumière jaune et matte de l'après-midi devant Le Mondor, la brise fraîche me rappela la contribution de Jennifer Angus à l'exposition. Son utilisation d'insectes pour créer des « motifs de papier peint » avait une sensibilité résolument victorienne qui évoquait l'âge d'or des collections et de l'histoire naturelle. Elle attirait l'attention sur le travail de base réalisé par les insectes lorsqu'ils creusent la terre ou circulent dans l'air, rendant ainsi possible la production alimentaire. Posant le regard sur les environs de Saint-Hyacinthe, je ne pouvais faire autrement que de me demander comment les commissaires en étaient arrivés à donner le nom de ORANGE à cette série d'expositions. Où cultive-t-on des oranges au Québec ? Le romancier Marwan Hassan m'a déjà décrit le développement de «l'école andalouse d'agronomie», du Xe siècle jusqu'au milieu du XIIIe siècle. Son récit a changé l'inclinaison politique-historique du monde dans lequel je mange. Le récit avait commencé, comme celui-ci, par une discussion sur une orange. Et, maintenant, elle se trouve dans vos mains.

1. Voir W.E.B. Du Bois, *The Souls of Black Folks: Essays and Sketches*, New York, Fawcett, [1903] 1965, p. 16-17.

2. Mark Hamin, « Science Designed and Digested: Between Victorian and Modernist Food Regimes », dans J. Horwitz et P. Singley (dir.), *Eating Architecture*, Cambridge, Mass., MIT Press, 2004, p. 151-168.

3. Jean-François Cooke et Pierre Sasseville ont déjà utilisé ces animaux. Pour *La Ville aux animaux* (2004), ils les ont mis en scène dans les fontaines de l'esplanade de la Place des Arts à Montréal, mais sans le maïs soufflé.

4. Mark R. Finlay, « Hogs, Antibiotics, and the Industrial Environments of Postwar Agriculture », dans S. R. Schrepfer and P. Scranton (dir.), *Industrializing Organisms: Introducing Evolutionary History*, New York et Londres, Routledge, 2004, p. 237-260. [Traduction libre]

5. Cité dans Jack R. Kloppenburg Jr., *First the Seed: The Political Economy of Plant Biotechnology, 1492-2000*, Cambridge, Cambridge University Press, 1988, p. 91. [Traduction libre]

6. Voir Jeremy Rifkin, *The Biotech Century: Harnessing the Gene and Remaking the World*, New York, Jeremy P. Tarcher/Putnam, 1998, p. 96-99, et Andrew Kimbrell, *The Human Body Shop: The Engineering and Marketing of Life*, San Francisco, Harper San Francisco, 1993, p. 175-180.

7. Voir Carol J. Nemeroff et Paul Rozin, « The contagion concept in adult thinking in the United States: Transmission of germs and interpersonal influence », *Ethos*, vol. 22, n° 2 (juin 1994), p. 158-186.

8. Voir Asit Jolly, « September 11 Steel Recycled », *BBC News, World Edition*, 11 septembre 2002. Consulté à : http://news.bbc.co.uk/2/hi/south_asia/2250983.stm

9. « "Il faut bien manger" ou le calcul du sujet », Jacques Derrida en entretien avec Jean-Luc Nancy, article paru dans *Cahier Confrontations*, n° 20 (hiver 1989). http://www.jacquesderrida.com.ar/frances/derrida_manger.html.

6. Cooke-Sasseville *Le nouveau monde*, 2006

Scott Toguri McFarlane
The Labyrinth of Le Mondor, and Other Fables of Orange

Words cannot express the slouch of disappointment I felt when I first climbed the stairs and entered Le Mondor. I had arrived with great expectations and was looking forward to seeing how one of the most interesting curatorial projects related to food and art was developing. But oh, the misery of the scene in front of me: a row of tables littered with spills, crusted pots, overturned cups and crumpled napkins! Cooking utensils were tossed in the corner. The smell of popcorn hung in the air, mingling with faint whiffs of yesterday's alcohol, curry and cooking oil. To my left, one of Aude Moreau's pristine sugar carpets was scuffed around the edges. Someone had been stumbling last night. To my right, Karen Tam's *Jardin Chow Chow Garden* – her latest in a series of re-created Chinese restaurants – seemed waiting for the morning shift to arrive. Chairs remained pushed back from the tables and the video component flickered to no one. The revellers were long gone and probably recovering from the raucous festivities of the night before. When it comes to eating, timing is everything, and judging from the mess in front of me I had missed a fantastic opening. In the hollow quiet of Le Mondor, I could hear my stomach growl.

Le Mondor was one of several sites in Saint-Hyacinthe used for Como Como, the second edition of EXPRESSION's ongoing series of exhibitions and performances engaging with issues of food and eating. The series itself is called Orange. It takes place under the direction of Marcel Blouin, though each edition has been produced by a team of curators. This year the curators used decidedly different installation strategies at the two main sites. While the group show at the EXPRESSION gallery was hung in a straightforward manner (photography on the walls surrounding a lovely installation of dried flowers by Thérèse Chabot in the larger space, followed by Marc-Antoine K. Phaneuf's witty video installation in the smaller space), the exhibition at Le Mondor was intriguingly labyrinthine, leading viewers down angling corridors that opened onto a constellation of fabulous worlds spinning around the subject of eating.

I use the word "fabulous" to point to the strength of the show, but also to suggest that the presentation at Le Mondor emphasized that new fables were re-staging the universe of eating. But I had yet to garner a sense of the exhibition as a whole, since I was still staring at the crusted dishes, and berating myself: Those who take great pleasure in food should attend the openings that are so much a part of the gastronomic art. And so it was with the weight of belated arrival that I turned from the remnants before me and began making my way through the twists and turns of Le Mondor.

I first encountered Aude Moreau's sugar carpet, resting in the corner of the dimly lit exhibition space. Its perimeter was stencilled with a one-inch black-and-red motif that brought to mind the parlour culture of late eighteenth- and nineteenth-century Europe. In stark contrast to the immaculate sensibility of the predominantly white, crystalline carpet, the adjacent walls shadowing it were slashed with black gouache murals of a sugarcane field being cut. The words SLAVE CULTURE were stencilled on a window in reverse, so as to be legible from outside the gallery. Below them, the words SAVE REVOLT faced inwards.

Moreau's use of text underlined the work's didactic reference to the haunting role of slavery and the West Indian sugar trade in the development of industrial capitalism. In terms of subject, *Sugar Carpet* is reminiscent of Vic Muniz's *Sugar Children series* (1996), for which the artist duplicated snapshots of plantation labourers' children in St. Kitts by arranging sugar on black paper and then photographing the results. However, I found the stark parlour-room effect of Moreau's work more architectural and, in that sense, less personable than Muniz's portraits. In fact, the graphic black-and-white tone of the installation recalled the moral tenor of Eric Williams' important *Capitalism and Slavery* (1944), a canonical text detailing the central role of West Indian plantations in the development of capitalism.

The psychological effects of this history were evoked in a subtle manner. The text facing both inside and outside Le Mondor brought into play what W.E.B. Du Bois, in *The Souls of Black Folks* (1903), eloquently describes as the "unreconciled strivings" of a "double consciousness." This "twoness," argues Du Bois, was imposed on blacks by the dominant white society and demanded the formation of a consciousness perpetually negotiating the so-called universal values of colonial cultures and the violent exclusion of black bodies from those fantasies. Simply put, it compelled blacks to see themselves as simultaneously and impossibly within and outside whiteness.[1]

The subtlety of *Sugar Carpet*'s seemingly didactic engagement with the history of sugar was amplified by the poignant emptiness of the installation. The glistening carpet had never been walked upon. On the one hand, this emptiness evoked lives lost in the historic production of sugar, investing the black-and-red perimeter with visceral bodily associations. On the other hand, the sense of bodies having been absorbed into sugar, as opposed to the contrary, added a certain eeriness.

According to Mark Hamin, it was during the Victorian period that chemists and physiologists, influenced by studies of fuel-efficient design, extended the study of energy burning to food studies and calorimetrics, drawing the body into the general discourse of fuel efficiency. By the end of the nineteenth century, the calorie-burning body was the object of industrial workplace and home economics research.[2] Of notable concern were the minimum quantity and most efficient sources of calories required to keep slaves and workers alive – in order to produce goods to be consumed by the bourgeoisie. If one understands the movement of slaves from Africa to the West Indies as part of a widespread mobilization of the planet's "energy systems" designed to fuel Europe and the growth of capitalism, then sugar does not simply supplement the working body's needs, it is part of a broader economy of fuel consumption that systemically absorbs the body as energy. The development of the sugar industry thus marks the uncanny disappearance of the body within the discourse of global energy efficiency.

The emptiness of Moreau's parlour of energy absorption created an anachronistic effect, calling the very idea of history into question. How does one account for the disappearance not just of bodies but of the concept of the body as the incandescent hearth of bourgeois conceptions of history? In whose or what name? The bourgeois body, if indeed imaginable, must be conjured from the fiery gut of industrialization that is continually consuming it. Theories of evolution therefore need to be repeatedly staged through psychological work. Staring at the empty parlour, a line from T.S. Eliot's "The Love Song of J. Alfred Prufrock" came to mind: "I have measured out my life with coffee spoons." It was as if the installation conveyed the colonial violence inherited by this early-twentieth-century poem, the physical, psychological and racial violence embedded in the repetitious, temporal rationalization of the industrial workday and the daily tea time of the Victorian-cum-modern parlour. Perhaps it could be argued that the trace of this violence was circulated by the modern poet through the paradox of monotonous repetition and temporal disjunction swirling in every polite stir of sweetened Darjeeling. Ultimately, Moreau's carpet provided a means to rethink colonialism as, in part, a global scene of eating that fuels the increasingly anxious fables of the histories we invoke to maintain ourselves.

Moving on through the labyrinth of Le Mondor, I ducked into the next alcove and stumbled upon two large roosters perched on white wooden pedestals. They marked the gateway into Cooke-Sasseville's *Le nouveau monde* (The New World), an elaborate scene of large plastic farm animals entirely sheathed in popcorn.[3] This use of exploded kernels gave the "new world" both a cinematic and a cosmological feel. I felt as if I were in a zodiac constellation of exploding stars, a nebular scene in which familiar forms were disappearing and others, more animated than fleshy animal, were emerging in their place.

Corn does, in fact, belong to a complex constellation of historical discourses, many of which are hinted at by *Le nouveau monde*. Originally cultivated in Central America, corn was further cultivated by the First Nations of this continent and later by colonialists, eventually becoming an important feed for livestock. The "state fair" aesthetic of the work, however, relates Cooke-Sasseville's oversize "corn animals" to the introduction of livestock breeding programs, competitions and auctions in Europe during the nineteenth century, all of which were crucial to the development of industrial agriculture.

State fairs and corn shows played an equally important role in North America, but the exploding kernels of *Le nouveau monde* are most suggestive of the post-WWII period, when chemical companies redirected their research and development from weaponry to agriculture and pharmaceuticals, initiating a web of changes to the practice of farming. According to Mark Finlay,

These changes were especially apparent in livestock production, as farmers and the industrialists who participated in their enterprise sought to reshape and redesign organisms in ways that they deemed appropriate for an industrial society. Innovations with medicated feeds, manufactured housing, and redesigned landscapes spurred farmers to increase the size and capital investment of their livestock operations, to manipulate the natural rhythms of animals' breeding, birth, weaning, rebreeding, and slaughter, and to conduct the business in ever more confined, streamlined, and centralized operations. These changes impacted the broiler (chicken) industry most intensely, but also reshaped turkeys into a smaller size and temperament suitable for a life indoors, moved cattle-finishing operations onto industrial scale feedlots, and moved hogs from pastures to indoor confinement operations.[4]

As the United States headed into the Cold War, the development of high-yield varieties of hybrid corn and the size of livestock fed on corn supplemented with vitamins, antibiotics and growth stimulants became symbols of national pride. "We hear a great deal these days about atomic energy," said Secretary of Agriculture and future Vice President Henry A. Wallace, "yet I am convinced that historians will rank the harnessing of hybrid power as equally significant."[5] In a sense, then, the "blue ribbon" sensibility and popcorn playfulness of *Le nouveau monde* served viewers a rosy American pastoral alluding to the muscular role of farming, husbandry and the inflated importance of eating at the heart of the Cold War. Cooke-Sasseville's mythical new world seemed to be rooted in the post-war propaganda that celebrated the stuffed pantry and fridge as symbolic of the cultural superiority of U.S.-led capitalism and a first line of defence against nuclear threat. In the dreamscape cast by this work, the republic eats its way to glory.

Conversely, the long, linear arrangement of the animals in the alcove was eerily reminiscent of Alexis Rockman's well-known panoramic painting *The Farm* (2000), which offers a morality tale about the effects of genetic engineering on farming in the United States. The fact that the animals were enveloped in popcorn reminded me of the macabre stories of efforts to grow livestock faster and bigger, resulting in exploding bodies: the infection, swelling and, in some cases, rupturing of cow udders due to the effects of recombinant bovine growth hormone; the now familiar image of chickens pumped up with antibiotics and steroids, growing out of their small cages; the gothic story of the lumbering, excessively hairy, arthritic and blind Beltsville Pig, genetically engineered by the USDA with human DNA to promote accelerated growth;[6] and all the feed- and production-related problems resulting in mad cow disease, avian flu virus and foot and mouth disease. And, of course, the explosion of obesity as one of the major health crises emerging from the post-war period.

Le nouveau monde thus put into play the Jeffersonian dream of individuals eating bountiful food originating from the wholesome farm, but only to mark its death. I was struck by the fact that, with the advent of genetic engineering, the animals in front of me no longer existed as discrete entities. Pig DNA can be spliced with that of humans. Sheep and goats have been cloned. Herbicide resistance is genetically engineered into corn so you can kill everything in a field but the crop – at least in theory. Biological life as we would know it has come to an end. But so, too, have the fables and symbolic orders by which we understand how we eat. There is a kind of innocent madness to staring at a surreal cow of popcorn I felt as if I were waiting for a new order or a new story to emerge from the scene. It was like watching a cartoon in which the characters are killed and waiting for the next episode.

In terms of its aesthetic, this work deploys the rhetoric of animation, a rhetoric amplified by the cinematic associations of popcorn. The kernels of the living world had exploded and yet were being gathered in other ways. The waiting between episodes is the site of *Le nouveau monde*. This imparted a sense of the fantastic sublime by driving my thoughts towards the disappearing centre of all the exploding kernels surrounding me. As I turned to leave the theatre of this tale, the cartoon-like animals seemed entirely capable of resurrection. But in what form? And was the drive towards an explosive sublime actually a familiar way of articulating the desire for a renewed body purified by fire? Heading to the next corridor, was I leaving a furnace - and a political history of the sublime that has expressed itself by putting bodies in furnaces?

Such were the gothic microwaves rippling my thoughts as I trod the shadowy perimeter of Marc Dulude's *Jardin d'artifices* (Garden of Artifice). I noted the incandescent arboreal sculptures and whirling mechanical insects humming in my periphery, but this seemingly primordial, secret world would have to wait until later, because the thread of my trip through the labyrinth was ineluctably leading me to an intriguing colour photocopy stuck to a wall, like a random sign offering directions to passers-by.

The image was of a dessert tree stand displaying Indian sweets, located in what appeared to be a high-rise hotel. In the background, the grid of New York City could be seen through the windows. Turning to the left, I began to follow a corridor with constellations of images: downloaded news clippings, a map, a postcard, a poster of the Twin Towers, a 2001 dollar bill. It was like a paranoid's messy wall of research, all tracking the sale by secret auction of three hundred tons of scrap steel from Ground Zero of the fallen World Trade Center to companies in Singapore, China and India.

As I continued along the twisting passage, I encountered a video of cooking pots being made in an Indian factory. The smell of curry was growing stronger and I knew what was coming next. The corridor opened onto a room with a dessert tree resembling the one in the photocopy. A meal had been cooked, served and eaten, presumably the night before. The suggestion that debris from the World Trade Center had entered the diners' bodies was delivered by the lingering smell of the meal and the "molecular experience" of breathing it in.

The title of Raul Ortega Ayala's piece, *Melting Pots*, added the conceptual frame of a liquefying multiculturalism. Within this seeping cultural encounter, exchange was not structured by the discourses of nationalism and ethnicity but rather by a fable that traced the persistent but increasingly faint impressions of incinerated bodies along a route that begins in New York with the survival of miniscule remnants of melted metal, then travels through scrap yards and shipping routes leading to Indian steel towns such as Mandi Gobindgarh in Punjab, somehow surviving smelting, clinging through distribution routes to factories, to being touched by pot-making workers, then returning back to North America and to Saint-Hyacinthe, into Le Mondor and, in the simmering of a curry, lightly lifted off into the drift of food through bowls, across the tongue and into the body.

The mapping of this route is a fable of aura. If you are not convinced of the socio-cultural and political-economic force of the body's aura, you should know that very few people would ever knowingly put on a sweater worn by Hitler.[7] You should also know that scrap yards in Mandi Gobindgarh halted shipments from Ground Zero once they became aware of the source.[8] *Melting Pots* suggests that the scene of eating has a certain kind of aura about it, one characterized by the minute traces of others, the traces of their lives, bodies, memories and histories taken into the curry of the body. The faint nature of these traces demands a response from those feeding off them. Ultimately, the installation implied that the eating was conducted through the discourse of responsibility initiated by the aura of others whom we feed off.

However, the fable that meals are laced with the aura of others comes across as an alibi that represses a broader cultural predicament. In *Melting Pots*, this "fabulous aura" clings to the steely memory of rescue workers sifting through the remnants of Ground Zero, using, among other things, DNA forensic technology. The point is that the fable operates on a molecular level and that it assumes minute fragments can be made to correspond with an original body. But the development of sophisticated genomic archives, transgenetics and cloning insists that the notions of discrete individual bodies and species are part of ideological belief systems and narratives by which we conduct our daily lives. These fables that we live by are, in fact, undermined by contemporary biotechnologies. What is being tracked through the labyrinthine corridors of *Melting Pots*, therefore, is not simply the aura of those who passed away as the World Trade Center collapsed but, rather, the aura's function as an alibi. In the end, one experiences the collapsing architecture of the body in general, its molecular explosion and, as in the case of *Le nouveau monde*, its mixing with other things – not all of which are human. The meal served by *Melting Pots* spills because it lacks a body and context to contain it. The scene of eating is self-incinerating.

Conceptually, the scene of *Melting Pots* lacks an archive: there is no body of thought and memory to contain it; there is no architecture within which it can take place. This is one of the traumas related to Ground Zero. But I had also encountered this blank emptiness in the burned calories of Moreau's empty parlour, and in Cooke-Sassville's exploded farm – a sense of particles, bits and pieces without history. It was therefore both strange and marvellous to wander through the corridors and constellations of Le Mondor. Again and again I felt that I was arriving upon scenes left by revellers of the night before, scenes open to a contest of fables.

As I prepared to leave the building, I was struck by the thought that maybe, just maybe, art engaging with the subject of food takes its impetus from the hypothetical encounter with a scene of eating that has no archive and thus cannot be consumed. In other words, perhaps the aestheticization of eating responds to the troubling mnemonic anxiety perceptible in every constellation at Le Mondor. The history of our food seems to be vanishing these days, and eating has become a more troubling act. In response to such anxieties, the exhibition's curators had prepared an opening, an opportunity to eat, drink and spend time with those who enjoy celebrating the art of a good meal and sharing lively stories. The event at Le Mondor, however, was not only concerned with taking things in; it also involved being touched by the traces of phenomena you cannot fully absorb, by the dead ends, missed apertures and half-remembered passages that marked every labyrinthine scene of eating. The sphere of ORANGE spins on a word that has no rhyme.

In a now frequently cited essay, Jacques Derrida argues that the art of eating well carries a moral injunction: "One must eat well' does not mean above all taking in and grasping in itself, but learning and giving to eat, learning-to-give-the-other-to-eat."[9] As I stepped into the flat, yellow, afternoon light outside Le Mondor, the crisp breeze reminded me of Jennifer Angus' contribution to the exhibition. Her use of bugs to create "wallpaper patterns" had a decidedly Victorian sensibility that evoked the heyday of collecting and natural history. It also drew attention to the grunt work done by insects tunnelling the earth or traversing the air that makes food production possible. Glancing around the environs of Saint-Hyacinthe, I could not help but wonder how the curators had come to name the exhibition series ORANGE. Where are oranges grown in Quebec? And yet they are here. The novelist Marwan Hassan once described to me the development of the "Andalusi school of agronomy," from the tenth to the mid-thirteenth century. His tale changed the political-historical tilt of the world within which I eat. The tale began, as did this one, with a discussion of an orange. And now you're holding it in your hands.

1. See W.E.B. Du Bois, *The Souls of Black Folks: Essays and Sketches* (New York: Fawcett, [1903] 1965), pp. 16-17.

2. Mark Hamin "Science Designed and Digested: Between Victorian and Modernist Food Regimes," in *Eating Architecture*, J. Horwitz and P. Singley, eds. (Cambridge, MA: MIT Press., 2004), pp. 151-168.

3. Jean-François Cooke and Pierre Sasseville have used these animals before. For *La Ville aux animaux* (2004), they staged them in the esplanade fountains at Place des Arts in Montréal — without the popcorn.

4. Mark R. Finlay, "Hogs, Antibiotics, and the Industrial Environments of Postwar Agriculture," in *Industrializing Organisms: Introducing Evolutionary History*, S. R. Schrepfer and P. Scranton, eds. (New York and London: Routledge, 2004), pp. 237-260.

5. Quoted in Jack R. Kloppenburg Jr, *First the Seed: The Political Economy of Plant Biotechnology, 1492-2000* (Cambridge: Cambridge University Press, 1988), p. 91.

6. See Jeremy Rifkin, *The Biotech Century: Harnessing the Gene and Remaking the World* (New York: Jeremy P. Tarcher/Putnam, 1998), pp. 96-99, and Andrew Kimbrell, *The Human Body Shop: The Engineering and Marketing of Life.* (San Francisco: HarperSanFrancisco, 1993), pp. 175-180.

7. Carol J. Nemeroff and Paul Rozin, "The Contagion Concept in Adult Thinking in the United States: Transmission of Germs and Interpersonal Influence," *Ethos*, vol. 22, no. 2 (June 1994), pp. 158-186.

8. Asit Jolly, "September 11 Steel Recycled," *BBC News, World Edition*, September 11, 2002. Consulted at http://news.bbc.co.uk/2/hi/south_asia/2250983.stm

9. Jacques Derrida, "'Eating Well' or the Calculation of the Subject," in *Who Comes after the Subject?*, Eduardo Cadava, Peter Connor and Jean-Luc Nancy, eds. (New York: Routledge, 1991), p. 115.

Liste des œuvres présentées - List of Works Presented

1. Jennifer Angus Dust to Dust
Dust to Dust, 2006
Installation
Insectes variés, tapisserie, pots de miel, table de bois
600 x 600 x 305 cm (dimensions d'exposition)

2. Raul Ortega Ayala Melting Pots
Melting Pots, 2006
Installation labyrinthique/banquet
Chaudrons, tables, assiettes, vidéo (21 min 30 s), dessins sur papier, affiches
894 x 618 x 305 cm (dimensions d'exposition)

3. Gabriel Baggio Lo Dado
Lo Dado, 2006
Installation/performance artistique culinaire
Chaudrons, ustensiles de cuisine, vaisselle, bombonnes de propane vides, brûleurs,
deux photographies couleurs, raviolis en terre cuite, assiettes de bronze, piliers en marbre, tables de bois, vidéo
1135 x 800 x 305 cm (dimensions d'exposition)

4. Thomas Blanchard Fabricated Food
De la série *Fabricated Food*, 2004-2006
Treize épreuves à développement chromogène
Sept épreuves : 40,64 x 40,64 cm chaque, six épreuves : 101,6 x 76,2 cm chaque

De la série *Fishbowl*, 2006
Trois impressions au tirage Lambda
73 x 76 cm chaque

5. Thérèse Chabot Yo soy como el chile verde, Ilorona, picante pero sabroso
Yo soy como el chile verde, Ilorona, picante pero sabroso, 2006
Installation/performance
Fleurs séchées, voile, piments, deux photographies couleurs
549 x 852 x cm (dimensions d'exposition)

6. Cooke-Sasseville Le nouveau monde
Le nouveau monde, 2006
Installation
Maïs soufflés, fibre de verre, bois, charrette, arbre, fourche
645 x 914 x 305 cm (dimensions d'exposition)

7. Marc Dulude Jardin d'artifices
Jardin d'artifices, 2006
Installation
Bouteilles de boissons gazeuses recyclées, bestioles mécanisées et volantes, textile,
éclairage, détecteurs de mouvement
848 x 1019 x 427 cm (dimensions d'exposition)

8. Renay Egami Flood
Flood, 2006
Installation vidéographique
Vidéo de 8 min., congélateur, moulages de statuettes de sucre, eau, colorants
Environ 958 x 751 x 305 cm (dimensions d'exposition)

9. Les Fermières Obsédées Le rodéo, le goinfre et le magistrat
Le rodéo, le goinfre et le magistrat, 2006
Performances
Bande sonore, textile, table, nappe, couteaux, maillet, réchauds, pâte à pain,
boissons gazeuses

10. Aude Moreau Tapis de sucre 2
Tapis de sucre 2, 2006
Installation
Sucre, colorant alimentaire, peinture sur gypse, toile
Environ 645 x 1052 x 305 cm (dimensions d'exposition)
Tapis de sucre : 521 x 367 cm

From Foot to Mouth, 2006
Performance
Assiettes, lettres de gélatine, ouvrage de Joseph Beuys et Max Reithmann,
Par la présente, je n'appartiens plus à l'art (1988)

11. Luce Pelletier Écorce et anatomie
Écorce et anatomie, 2005-2006
Installation
Feuilles de hêtre, tiges de saule, tables et boîtes lumineuses, photographies couleurs
1183 x 751 x 305 cm (dimensions d'exposition)

12. Marc-Antoine K. Phaneuf Grosse poutine
Grosse poutine, 2006
Installation vidéographique
Vidéo (30 min), socle, napperon, mélangeur, affiche
81 x 52 x 177 cm (dimensions d'exposition)

13. Karen Tam Jardin Chow Chow Garden
Jardin Chow Chow Garden, 2006
Installation
Tables, chaises, tabourets, plantes, caisse enregistreuse, comptoir, vidéo
1474 x 805 x 305 cm (dimensions d'exposition)

14. Eve K. Tremblay Tales Without Grounds et Postures scientifiques
De la série *Tales Without Grounds*, 2005
Quatre épreuves à développement chromogène
Trois épreuves : 102 x 125 cm chaque, une épreuve : 102 x 102 cm

De la série *Postures scientifiques*, 2006
Épreuves à développement chromogène (triptyque)
41 x 55 cm chaque

15. Women with Kitchen Appliances WWKACOMO
WWKACOMO, 2006
Performance sonore
Tables, bols à mélanger, ustensiles de cuisine, appareils électroménagers divers

Notices Biographiques - Biographical Notes

Jennifer Angus Née en 1961 à Edmonton en Alberta, Jennifer Angus vit et travaille maintenant à Madison, aux États-Unis. Elle est titulaire d'une maîtrise en beaux-arts de la School of the Art Institute de Chicago, obtenue en 1991. Depuis 2001, elle enseigne au programme environnement, textiles et design de l'Université du Wisconsin. Ses œuvres ont été exposées au Canada, aux États-Unis, en Espagne, au Japon, en Australie et en Angleterre depuis 1984. De ses récents projets individuels, notons *A Terrible Beauty* (Effroyable beauté) présenté en 2006 au Textile Museum of Canada, à Toronto, au Dennos Museum Center, au Michigan, et au Musée d'art de Joliette en 2007. Elle a participé à plusieurs expositions collectives, dont *Bug-Eyed, Art, Culture and Insects*, présentée en 2004 au Turtle Bay Museum à Redding, en Californie.

Born in 1961 in Edmonton, Alberta, Jennifer Angus lives and works in Madison, Wisconsin. She holds an MFA (1991) from the School of the Art Institute of Chicago and has taught in the University of Wisconsin-Madison's Environment, Textiles and Design program since 2001. Since 1984, she has exhibited in Canada, the United States, Spain, Japan, Australia and England. Recent solo projects include *A Terrible Beauty* (2006, Textile Museum of Canada, Toronto, Dennos Museum Center, Michigan, and 2007, Musée d'art de Joliette). Her numerous group shows include *Bug-Eyed. Art, Culture and Insects* (2004, Turtle Bay Museum, Redding, California).

Raul Ortega Ayala Né en 1973 à Mexico, au Mexique, Raul Ortega Ayala vit et travaille à Londres, en Angleterre. Il a complété en 2003 une maîtrise en beaux-arts à la Glasgow School of Art et il est également diplômé de la National School of Painting, Sculpture and Print, de Mexico, en plus d'avoir une formation en philosophie. Actif dans le milieu des arts visuels depuis 1996, il a présenté son travail dans de nombreuses expositions en Angleterre, au Mexique, en Argentine, aux États-Unis, en Espagne, en Irlande, en Hollande et en Chine. Au nombre de ses expositions individuelles, mentionnons *Bureaucratic Sonata*, présentée à Londres en 2006 au Arts Depot et au Rokeby Gallery. En 2005, il a pris part à diverses expositions collectives, dont *ARCO*, à la Enrique Guerrero Gallery, à Madrid, en Espagne.

Born in 1973 in Mexico City, Raul Ortega Ayala lives and works in London, England. Prior to earning an MFA (2003) from the Glasgow School of Art and a degree from Mexico's National School of Painting, Sculpture and Print, he studied philosophy. Working in the visual arts since 1996, he has exhibited widely in England, Mexico, Argentina, the United States, Spain, Ireland, the Netherlands and China, both solo, as in *Bureaucratic Sonata* (2006, Arts Depot and Rokeby Gallery, London), and in group shows such as *ARCO* (2005, Enrique Guerrero Gallery, Madrid).

Sylvette Babin Sylvette Babin est née en 1967 à Caplan, en Gaspésie. Elle vit et travaille maintenant à Montréal. Elle a complété une maîtrise en open media à l'Université Concordia, à Montréal, en 1999, ainsi qu'un baccalauréat en arts plastiques à l'Université du Québec à Trois-Rivières en 1993. Depuis, elle a présenté ses installations et ses performances au Canada et dans différents pays, dont l'Italie, la Corée, l'Allemagne et l'Irlande, pour ne nommer que ceux-ci. Parmi les divers événements auxquels elle a pris part, signalons *Infr'Action 07*, Festival international de performance, et *Préavis de désordre urbain*, deux événements s'étant déroulés en 2007 dans différents quartiers de Sète et de Marseille, en France. En plus de sa pratique artistique, Sylvette Babin est également auteure, commissaire et directrice de la revue *esse arts + opinions* depuis 2002. De plus, elle enseigne au Collège de Shawinigan au programme d'arts et de théâtre urbains.

Montreal-based Sylvette Babin was born in 1967 in Caplan, Gaspésie. She holds an MFA in open media from Concordia University (1999) and a BFA from Université du Québec à Trois-Rivières (1993). Her installations and performances have been seen in Canada, Italy, Korea, Germany, Ireland and elsewhere. In 2007, she appeared at *Infr'Action 07*: Festival international de performance and *Préavis de désordre urbain*, street events held in the French cities of Sète and Marseilles. A writer, curator and, since 2002, director of the art magazine *esse arts + opinions*, she also teaches in the urban arts and theatre program at Collège de Shawinigan.

Gabriel Baggio Gabriel Baggio est né en 1974 à Buenos Aires, en Argentine, où il vit et travaille. Après avoir étudié à la Escuela Nacional de Bellas Artes de Buenos Aires, il a suivi des séminaires en art contemporain. Son travail a été présenté en Argentine, en Irlande, en Chine et aux États-Unis depuis 1996. En 2004, il a présenté *Tu memoria termina justo donde empieza la mía* au Irish Museum of Modern Art, à Dublin, en Irlande, et à la Galeria Proyecto A, à Buenos Aires. Parmi ses projets personnels présentés en 2003 à Buenos Aires, mentionnons *Conversación* à la Plaza de la fábrica Brukman et *Comida de estación* au Museo de Arte Moderno. La même année, Gabriel Baggio participait à l'exposition collective *Collection in Context*, présentée à la TransEat gallery, à Miami, aux États-Unis.

Gabriel Baggio was born in 1974 in Buenos Aires, Argentina, where he lives and works. After studying at the Escuela Nacional de Bellas Artes, he took courses in contemporary art. Since 1996, his work has been seen in Argentina, Ireland, China and the United States. In 2004, he showed *Tu memoria termina justo donde empieza la mía* at the Irish Museum of Modern Art in Dublin and at the Proyecto A gallery in Buenos Aires. His solo presentations include *Conversación* (Plaza de la fábrica Brukman) and *Comida de estación* (Museo de Arte Moderno), both in Buenos Aires in 2003. The same year he took part in the group show *Collection in Context* at the TransEat Gallery in Miami.

Eve-Lyne Beaudry Eve-Lyne Beaudry est née en 1978 à Montréal. Historienne de l'art et muséologue de formation, elle est conservatrice adjointe au Musée d'art de Joliette depuis 2006. Elle a également collaboré à divers projets de la Galerie de l'UQAM, dont *Peter Gnass. Couper/coller* (2004) et *Jocelyn Robert. L'inclinaison du regard* (2005). En 2005, elle a réalisé l'exposition *Espaces affectifs*, présentée au Musée régional de Rimouski dans le cadre du concours Commissaire de la relève. À titre de conservatrice adjointe au Musée d'art de Joliette, Eve-Lyne Beaudry a été commissaire des expositions *Serge Emmanuel Jongué. Totem : la messe américaine*, *Eric Simon. Portraits séquentiels* ainsi que *Jennifer Angus. Effroyable beauté*, présentées en 2007. Elle prépare actuellement une rétrospective de l'artiste Diane Landry qui fera l'objet d'une tournée canadienne dès 2009.

Eve-Lyne Beaudry was born in 1978 in Montreal. An art historian and museologist by training, she has been Assistant Curator at the Musée d'art de Joliette since 2006. Previously, she worked on projects at Galerie de l'UQAM, including *Peter Gnass. Couper/coller* (2004) and *Jocelyn Robert. L'inclinaison du regard* (2005). As winner of the Musée régional de Rimouski's emerging curators competition in 2005, she organized the exhibition *Espaces affectifs*. In her current position she has curated *Serge Emmanuel Jongué. Totem: la messe américaine*, *Eric Simon. Portraits séquentiels* and *Jennifer Angus. Effroyable beauté* (all 2007). For 2009, she is preparing a touring retrospective of Diane Landry's work for Canadian venues.

Thomas Blanchard Né en 1970 à Rochester, aux États-Unis, Thomas Blanchard vit et travaille maintenant à Toronto. Il poursuit actuellement des études de maîtrise en beaux-arts à l'Université York de Toronto, et détient, depuis 2005, un baccalauréat dans la même discipline de l'Université Ryerson. Il a également fait des études en géologie et en sciences politiques. Ses œuvres sont exposées depuis 1998, principalement au Canada, mais aussi aux États-Unis. En 2007, il a présenté l'exposition individuelle *Milk, Milk, Lemonade* à la Red Head Gallery, à Toronto. Au nombre des expositions collectives auxquelles l'artiste a participé en 2005, mentionnons *Eat the Food*, présentée par le MoCCA à la Gallery 1313, à Toronto, et *Out of Place*, dans le cadre de CONTACT, Festival torontois de la photographie, présenté à la Bluffs Gallery.

Born in 1970 in Rochester, New York, Thomas Blanchard is based in Toronto, where he is working towards an MFA at York University. He holds a BFA (2005) from Ryerson University and has also studied photography, geology and political science. He has been exhibiting since 1998, mainly in Canada but also in the United States. His 2007 solo show *Milk, Milk, Lemonade* was held at the Red Head Gallery in Toronto. In 2005, he took part in several group shows, including *Eat the Food*, presented by Toronto's MoCCA at Gallery 1313, and *Out of Place*, part of CONTACT, the Toronto Photography Festival.

Marcel Blouin Né en 1960 à Saint-Barnabé-Sud, Marcel Blouin vit et travaille à Saint-Hyacinthe. Depuis 2000, il est titulaire d'une maîtrise en études des arts de l'Université du Québec à Montréal ayant pour question principale : en quoi la photographie numérique propose-t-elle une nouvelle expérimentation du réel visible ? Depuis 2001, il est directeur général et artistique d'EXPRESSION. Auparavant, de 1985 à 1997, il a été directeur de Vox Populi, centre de diffusion de la photographie, à Montréal, y ayant de plus fondé le Musée Virtuel de la Photographie, dont il a été le directeur de 1993 à 2001. Il est aussi cofondateur du Mois de la Photo à Montréal et en a assuré la codirection de 1987 à 1989, puis la direction de 1990 à 1997. Il a de plus été instigateur et commissaire, avec Mélanie Boucher et Patrice Loubier, de la première édition de l'événement ORANGE, l'événement d'art actuel de Saint-Hyacinthe (2003). Marcel Blouin est également auteur et artiste. Parmi ses expositions individuelles, mentionnons *Le Paradis des framboises*, montrée en 2001 à Séquence, à Chicoutimi, ainsi qu'à Vu, centre de diffusion et de production de la photographie, dans le cadre de la Manifestation internationale d'art de Québec, en 2003.

Born in 1960 in Saint-Barnabé-Sud, Marcel Blouin lives and works in Saint-Hyacinthe. He holds an MA in art studies (2000) from Université du Québec à Montréal, where his thesis addressed the question of how digital photography offers a new representation of visible reality. Since 2001 he has been the general and artistic director of EXPRESSION. Previously, he headed Vox Populi, centre de diffusion de la photographie in Montreal (1985-1997), where he also founded and headed the Virtual Museum of Quebec Photography (1993-2001). Cofounder of Mois de la Photo à Montréal, he served as co-director from 1987 to 1989 and as director from 1990 to 1997. In 2003, he initiated and curated the first edition of ORANGE: Contemporary Art Event of Saint-Hyacinthe in collaboration with Mélanie Boucher and Patrice Loubier. He is also a writer and artist. His solo shows include *Le Paradis des framboises* (2001, Séquence, Chicoutimi, and 2003, VU, centre de diffusion et de production de la photographie, Quebec City, in the Manifestation internationale d'art de Québec).

Mélanie Boucher Née en 1976 à Québec, Mélanie Boucher vit et travaille à Montréal. Titulaire depuis 2001 d'une maîtrise en muséologie de l'Université du Québec à Montréal, elle poursuit actuellement des études de doctorat, toujours à l'UQAM, sa thèse ayant pour sujet l'usage de l'aliment dans l'art performatif contemporain. Parmi les expositions dont Mélanie Boucher a été commissaire, mentionnons *Claudie Gagnon. Triturer le temps*, présentée en 2007 à EXPRESSION, puis au Musée d'art de Joliette en 2009. Avec Julie Bélisle et Audrey Genois, elle a également été commissaire de *Basculer*, une exposition montrée en 2007 à la Galerie de l'UQAM. Mélanie Boucher est aussi auteure, conférencière et conservatrice aux expositions au Musée national des beaux-arts du Québec depuis 2007.

Montreal-based Mélanie Boucher was born in 1976 in Quebec City. She holds an MA in museology (2001) from Université du Québec à Montréal, where she is presently working towards a PhD with a dissertation on the use of food in contemporary performative art. Her curatorial credits include *Claudie Gagnon. Triturer le temps* (2007, EXPRESSION, and 2009, Musée d'art de Joliette) and Basculer (2007, Galerie de l'UQAM, with Julie Bélisle and Audrey Genois). She also writes and lectures. In 2007 she joined the Musée national des beaux-arts du Québec as exhibition curator.

Thérèse Chabot Thérèse Chabot est née en 1945 à Saint-Jean-Baptiste de Rouville, où elle vit et travaille. Après avoir étudié la céramique à Montréal, en Alberta et en Louisiane, elle a commencé à enseigner à l'Université Concordia en 1983. Depuis, son travail a été présenté au Canada, au Mexique, en France, en Italie, en Écosse et aux États-Unis. Sa production se caractérise principalement par l'installation, parfois accompagnée de performance et de chant. Parmi ses dernières expositions individuelles, notons *Hiver rouge*, présentée en 2006 à la FOFA, à Montréal. En 2002, elle participait à l'exposition collective *Contemplations on the Spiritual*, présentée à la Christus Kirche, à Cologne, en Allemagne, et en 2005 au Festival des arts sacrés, à Hallgrimskirkja, en Islande. Thérèse Chabot a également effectué des résidences d'artiste au Mexique (2004), en France (1996) et en Italie (1984).

Thérèse Chabot was born in 1945 in Saint-Jean-Baptiste de Rouville, where she lives and works. After studying ceramics in Montreal, Alberta and Louisiana, she began teaching at Concordia University in 1983. Since then, her work has been shown in Canada, Mexico, France, Italy, Scotland and the United States. It generally takes the form of installations, sometimes including performance and singing. Recent solo exhibitions include *Hiver rouge* (2006, FOFA, Montreal). Group shows include *Contemplations on the Spiritual*, presented in 2002 at the Christuskirche in Cologne, Germany, and in 2005 at the Festival of the Sacred Arts in Hallgrimskirkja, Iceland. She has had artist residencies in Mexico (2004), France (1996) and Italy (1984).

Cooke-Sasseville Cooke-Sasseville est un duo d'artistes de Québec, formé de Jean-François Cooke (né en 1974 à Chicoutimi) et de Pierre Sasseville (né en 1978 à Québec). Ils travaillent conjointement depuis 2000. Par sa démarche artistique, le tandem s'amuse à mettre de l'avant et à interroger les réalités sociales auxquelles nous sommes intimement liés. De leurs récentes réalisations, signalons *Aux pieds de la tête* et *Vous pensez trop, n'y pensez pas*, présentées au centre d'artistes Espace virtuel, à Chicoutimi, en 2006, ainsi que *Vous faites pitié à voir*, présentée à deux reprises la même année : à la galerie Rouje, à Québec, et au Centre des arts actuels Skol, à Montréal. Parmi les expositions collectives auxquelles ils ont pris part, notons *Les Convertibles*, présentée à Québec en 2006, soulignant les dix ans des Journées de la Culture, et *Débraye : voitures à controverses*, présentée par l'organisme Quartier éphémère à la Fonderie Darling, à Montréal, en 2005.

Cooke-Sasseville is formed by Quebec City artists Jean-François Cooke (born 1974, Chicoutimi) and Pierre Sasseville (born 1978, Quebec City), who have worked together since 2000. The pair's approach attests a gleeful pleasure in highlighting and questioning our social realities. Recent works shown solo include *Aux pieds de la tête* and *Vous pensez trop, n'y pensez pas* (2006, Espace Virtuel, Chicoutimi) and *Vous faites pitié à voir* (2006, Galerie Rouje, Quebec City, and Centre des arts actuels Skol, Montreal). Group shows include *Les Convertibles* (2006, for the 10th anniversary of Les Journées de la Culture, Quebec City) and *Débraye : voitures à controverses* (2005, presented by Quartier éphémère at the Fonderie Darling, Montreal).

Marc Dulude Né à Cold Lake en Alberta en 1976, Marc Dulude vit et travaille à Montréal. Il a effectué des études de maîtrise en arts plastiques à l'Université du Québec à Chicoutimi abordant principalement l'alopécie à l'aide de manèges mécaniques, d'aliments et de mécanismes interactifs. Depuis 1999, il a présenté ses œuvres au Canada, en France et au Niger. C'est en 2003, au Musée régional de Rimouski, qu'il a présenté pour la première fois *Jardin d'artifices*, lors de l'exposition *La Démesure. Glaneurs contemporains*. La même année, Marc Dulude initiait le projet *Deux jours pour un convoi*, réunissant entre autres Sylvain Bouthillette, Jérôme Fortin et le collectif Delabela. Cet événement, présenté à Montréal, avait pour but de faire faux bond au cadre traditionnel d'exposition.

Born in 1976 in Cold Lake, Alberta, Marc Dulude lives and works in Montreal. In 2003, he earned an MA in visual arts from Université du Québec à Chicoutimi with a project on baldness incorporating mechanical devices, food and interactive mechanisms. Since 1999, his work has been seen in Canada, France and Nigeria. He originally showed *Jardin d'artifices* in the exhibition *La Démesure. Glaneurs contemporains* at the Musée régional de Rimouski in 2003. The same year he initiated *Deux jours pour un convoi*, a project involving Sylvain Bouthillette, Jérôme Fortin, the Delabela collective and other artists. Presented in Montreal, the event was designed to transgress the conventional exhibition framework.

Renay Egami Née en 1964 à Vancouver, Renay Egami vit et travaille à Kelowna, où elle enseigne la sculpture au département des beaux-arts de l'Université de la Colombie-Britannique. Elle est titulaire d'une maîtrise en arts plastiques de la School of the Art Institute of Chicago, en Illinois, obtenue en 1998, mais expose ses œuvres depuis 1992 au Canada, aux États-Unis, en Australie et au Japon. Intéressée aux mystères non résolus, cette artiste d'origine japonaise explore, dans ses œuvres, l'idée de la mort et ses fatalités. Ses installations mettent également l'accent sur l'aspect fugace – voire transitoire – de la culture, de l'identité et de la mémoire. Mentionnons deux expositions individuelles récentes de Renay Egami présentées en Colombie-Britannique : *Picnic* (2007), à la Kelowna Art Gallery et *Unsolved Mysteries* (2004), à la Alternator Gallery for Contemporary Art, également située à Kelowna. Des récentes expositions collectives auxquelles elle a participé, notons *4 : 4 = ONE*, présentée au centre d'artistes L'Œil de Poisson, à Québec, en 2007.

Renay Egami, a Vancouver native of Japanese extraction, was born in 1964. She lives in Kelowna, B.C., and teaches sculpture in the Fine Arts Department at the University of British Colombia. She holds an MA from the School of the Art Institute of Chicago (1998) and has been exhibiting in Canada, the United States, Australia and Japan since 1992. Her work probes unsolved mysteries and explores death and its aftermath. It also speaks to the fleeting, transitory aspect of culture, identity and memory. Recent solo shows in British Colombia include *Picnic* (2007, Kelowna Art Gallery) and *Unsolved Mysteries* (2004, Alternator Gallery for Contemporary Art). Group shows include *4 : 4 = ONE* (2007, L'Œil de Poisson, Quebec City).

Les Fermières Obsédées Les Fermières Obsédées est un collectif formé de trois artistes : Annie Baillargeon (née en 1978 à Victoriaville), Eugénie Cliche (née en 1977 à Saint-Joseph-de-Beauce) et Catherine Plaisance (née en 1978 à Lotbinière). Établi à Québec, ce collectif pratique principalement la performance et se caractérise par le kitsch, les uniformes excentriques et les mises en scène absurdes qui se veulent une critique du monde moderne. Les trois artistes se produisent souvent dans les marchés publics, les vitrines de grands magasins et les artères commerciales. Se construisant autour d'une réflexion sur les relations entre les individus, leur pratique allie le tragique et le burlesque. Depuis 2001, ce trio présente des interventions diversifiées un peu partout dans le monde. Les Fermières Obsédées ont participé à différents événements au Canada, au Pays de Galles, en Pologne, en Irlande et en Australie, notamment en 2006 au Festival international de performance Interackje de Piotrków Trybunalski, en Pologne, et au Festival de théâtre de rue de Shawinigan, en 2004.

Les Fermières Obsédées comprises three artists: Annie Baillargeon (born 1978, Victoriaville), Eugénie Cliche (born 1977, Saint-Joseph-de-Beauce) and Catherine Plaisance (born 1978, Lotbinière). Based in Quebec City, the collective works chiefly in performance, using kitsch, eccentric uniforms and nonsensical stagings to offer a critical perspective on the modern world. The trio often performs at public markets, in department store windows and on commercial streets. Grounded in a reflection on human interrelations, their art is a blend of tragedy and burlesque. Since 2001, they have produced interventions at far-flung events around the globe: Canada, Wales, Poland, Ireland and Australia, from the Interackje Festival (2006, Piotrków Trybunalski, Poland) to the Festival de théâtre de rue de Shawinigan (2004).

Aude Moreau Aude Moreau est née en 1969 à Gençay, en France. Elle vit et travaille à Montréal, et depuis 1992 elle est détentrice d'une licence en arts plastiques de l'Université Paris 8. Ses œuvres et ses performances ont été présentées depuis 1995 au Canada, en France, en Suisse, en Italie et aux États-Unis. Parmi ses expositions individuelles, mentionnons *Tirer le ciel, Let it go/Go for it*, présentée à Axeneo7, à Gatineau, en 2005, et *Topographie de la couleur résiduelle*, présentée à la Galerie B-312, à Montréal, en 2004. En 2002, elle a effectué une résidence d'artiste à Brooklyn, aux États-Unis, au cours de laquelle elle a réalisé l'œuvre *Sugar Carpet*.

Montreal-based Aude Moreau was born in 1969 in Gençay, France. She holds a BA in visual arts (1992) from Université de Paris 8, and since 1995 her works and performances have been seen in Canada, France, Switzerland, Italy and the United States. Her credits include solo shows such as *Tirer le ciel, Let it go/Go for it* (2005, Axeneo 7, Gatineau) and *Topographie de la couleur résiduelle* (2004, Galerie B-312, Montreal). She created the first *Sugar Carpet* in 2002 during an artist residency in Brooklyn, New York.

Catherine Nadon Catherine Nadon est née en 1982 à Chambly, mais elle vit et travaille maintenant à Saint-Hyacinthe. Elle complète actuellement une maîtrise en études des arts à l'Université du Québec à Montréal. Son mémoire propose une analyse esthétique de la crise de l'art contemporain à travers une antithèse de la matérialité et de l'idéalité de l'objet d'art. En 2005, Catherine Nadon a été co-commissaire de l'exposition du collectif Les QQistes, *Le luxe du vernissage*, présentée au Centre d'art Amherst, à Montréal. Notons également que Catherine Nadon est responsable des services éducatifs et des communications à EXPRESSION depuis 2005.

Catherine Nadon was born in 1982 in Chambly. She lives and works in Saint-Hyacinthe and is presently working towards an MA in art studies at Université du Québec à Montréal. Her thesis consists of an aesthetic analysis of the contemporary art crisis through an antithesis of the materiality and identity of the art object. Co-curator of *Le luxe du vernissage*, an exhibition by the QQistes collective (2005, Centre d'art Amherst, Montreal), she has headed education services and communications at EXPRESSION since 2005.

Geneviève Ouellet Geneviève Ouellet est née à Montréal en 1978. Depuis 2007, elle est titulaire d'une maîtrise en muséologie de l'Université du Québec à Montréal, son travail dirigé abordant le rôle social des musées dans notre société. Elle poursuit de plus des études en gestion des organismes culturels à HEC Montréal. Au cours de sa carrière, Geneviève Ouellet a collaboré à l'exposition *Fernand Leduc. Libérer la lumière*, présentée en 2006 au Musée national des beaux-arts du Québec. En 2007, elle s'est jointe à l'équipe d'EXPRESSION à titre d'adjointe à la direction et de responsable de l'édition, et a depuis contribué à divers projets et publications.

Born in Montreal in 1978, Geneviève Ouellet earned an MA in museology from Université du Québec à Montréal in 2007 with a thesis on the social role of museums in Quebec. She is currently studying cultural organization management at HEC Montréal. Her projects to date include work on the exhibition *Fernand Leduc. Libérer la lumière* (2006, Musée national des beaux-arts du Québec, Quebec City). She joined the EXPRESSION team as assistant to the director and head of publishing in 2007 and has since contributed to a variety of projects and publications.

Luce Pelletier Née à Sainte-Luce-sur-Mer en 1964, Luce Pelletier vit et travaille à Saint-Denis-sur-Richelieu. Depuis la fin de ses études en beaux-arts et en histoire de l'art à l'Université de Montréal, en 1994, elle a exposé ses œuvres au Canada, en France et en Italie. Parmi ses dernières expositions individuelles, notons *Écorce et anatomie*, présentée à l'Atelier Silex à Trois-Rivières en 2006, et *Des leurres*, présentée à deux reprises en 2006 : à la Maison de la culture Frontenac, à Montréal, et au Centre d'exposition de Amos. De plus, elle réalise des projets d'art public et ses œuvres font partie de plusieurs collections dont celles de la Banque d'œuvres d'art du Canada, à Ottawa, et du Cirque du Soleil, à Montréal. De 2001 à 2004, Luce Pelletier a par ailleurs été directrice générale et artistique du centre d'artistes le CEG, à SorelTracy.

Born in Sainte-Luce-sur-Mer in 1964, Luce Pelletier lives and works in Saint-Denis-sur-Richelieu. She holds a BA and an MA in fine arts and art history from Université de Montréal and since 1994 has exhibited in Canada, France and Italy. Recent solo exhibitions include *Écorce et anatomie* (2006, Atelier Silex, Trois-Rivières) and *Des leurres* (2006, Maison de la culture Frontenac, Montreal, and Centre d'exposition, Amos). She also produces public art and her work is represented in many collections, including those of the Canadian Art Bank in Ottawa and the Cirque du Soleil in Montreal. From 2001 to 2004, she was executive and artistic director of the CEG artist-run centre in Sorel-Tracy.

Marc-Antoine K. Phaneuf Né à Saint-Hyacinthe en 1980, Marc-Antoine K. Phaneuf vit et travaille à Montréal. Cofondateur du collectif *Les QQistes*, il poursuit désormais une pratique artistique en solo. Titulaire depuis 2004 d'un baccalauréat en histoire de l'art de l'Université du Québec à Montréal, il engage par ses œuvres une réflexion sur l'acte artistique et pose un regard critique et ludique sur le statut de l'artiste. Notons que le travail des QQistes a entre autres été présenté au GRAVE, Groupement des arts visuels de Victoriaville (*La Collection Richard Goulet*, 2007), à la 3e Biennale d'art performatif de Rouyn-Noranda, présentée en 2006 à L'Écart... lieu d'art actuel, ainsi qu'à la Manifestation internationale d'art de Québec, en 2005. Signalons également que Marc-Antoine K. Phaneuf partage son temps entre les arts visuels, la performance, la littérature et la musique électroacoustique.

Born in Saint-Hyacinthe in 1980, Marc-Antoine K. Phaneuf lives and works in Montreal. He is a cofounder of the QQistes duo but now works alone. Holding a BA in art history (2004) from Université du Québec à Montréal, he uses his productions to inquire into the artistic act and cast a critical eye on the status of artists. Under the QQistes banner, his work has been seen in exhibitions and events such as *La Collection Richard Goulet* (2007, GRAVE, Groupement des arts visuels de Victoriaville), the 3rd Biennale d'art performatif de Rouyn-Noranda (2006, L'Écart... lieu d'art actuel) and the Manifestation internationale d'art de Québec (2005, Quebec City). He divides his time among visual arts, performance, writing and electronic music.

Karen Tam Karen Tam est née en 1977 à Montréal de parents chinois. Elle vit et travaille dans sa ville natale et un peu partout. Elle a complété en 2002 une maîtrise en sculpture à la School of the Art Institute de Chicago, mais réalise ses projets depuis 1998. Parmi ceux-ci, mentionnons *Gold Mountain Restaurant*, qui a été présenté à travers le Canada depuis 2003 et a fait l'objet d'une monographie. De ses autres projets individuels, mentionnons *le Pavillon des canards* (2006), présenté au centre d'artistes Diagonale, à Montréal, et *No MSG At Friendship Dinner* (2003), proposé au Khyber Centre for the Arts, à Halifax, en Nouvelle-Écosse. L'artiste a aussi participé à des expositions collectives dont quelques-unes en Irlande (2004) et aux États-Unis (depuis 2001). De plus, Karen Tam donne des conférences dans les centres d'artistes et les universités.

Karen Tam was born in 1977 to Chinese parents in Montreal. She lives ands works there and elsewhere. She earned an MA in sculpture from the School of the Art Institute of Chicago in 2002 but has been producing since 1998. Gold Mountain Restaurant has been seen across Canada since 2003 and is the subject of a book. Among her projects shown solo are *Pavillon des canards* (2006, Diagonale, Montreal) and *No MSG At Friendship Dinner* (2003, Khyber Centre for the Arts, Halifax). She has also taken part in group shows, including events in Ireland (2004) and the United States (since 2001). She also lectures on occasion.

Myriam Tétreault Myriam Tétreault est née en 1982 à Saint-Hyacinthe, où elle vit et travaille. Elle est détentrice d'un baccalauréat en histoire de l'art de l'Université de Montréal, obtenu en 2006. De 2003 à 2007, Myriam Tétreault a ponctuellement collaboré aux activités et aux événements organisés par EXPRESSION. En 2003, elle a activement participé à la coordination de la première édition de ORANGE, en plus de contribuer par ses recherches à la rédaction de la publication, parue à la suite de l'événement en 2005. Myriam Tétreault a depuis contribué à diverses publications. Elle est également auteure et ses textes ont en outre été publiés dans des journaux.

Myriam Tétreault was born in 1982 in Saint-Hyacinthe. She holds a BA (2006) in art history from Université de Montréal. Between 2003 and 2007, she freelanced on activities and events organized by EXPRESSION. After assisting with the coordination of ORANGE I, in 2003, she contributed to the research and writing for the event catalogue, issued in 2005. She has also participated in various other publications. As a writer, her work has appeared in newspapers.

Scott Toguri McFarlane Né en 1965, Scott Toguri McFarlane vit et travaille à Montréal. Il complète actuellement des études de doctorat à l'Université Simon Fraser, en Colombie-Britannique, sa thèse ayant pour sujet les conséquences effarantes de l'utilisation de la biotechnologie. Scott Toguri McFarlane est auteur, critique d'art, conférencier et éditeur. En 2004, il a entre autres dirigé *Eating Things*, le 30e numéro de la revue interdisciplinaire *Public*, éditée par le collectif Public Access dont le mandat est de réfléchir sur l'ensemble des aspects liant l'art, la culture, l'histoire et la politique. Scott Toguri McFarlane est aussi l'un des fondateurs de Pomelo Project, une maison de production soutenant les créations artistiques remettant en question les politiques culturelles établies. Il enseigne également au programme de maîtrise en beaux-arts de l'Université Condordia.

Montreal-based Scott Toguri McFarlane, born in 1965, is presently working towards a PhD from Simon Fraser University in British Columbia with a dissertation on the staggering consequences of biotechnology. A writer, art critic, lecturer and publisher, in 2004 he edited the *Eating Things* issue of the interdisciplinary journal *Public*, published by the Public Access Collective, which explores the intersection of art, culture, history and politics. He is a co-founder of the Pomelo Project, a production house for the arts dedicated to probing cultural politics, and also teaches in the MFA program at Concordia University.

Eve K. Tremblay Née à Val-David en 1972, Eve K. Tremblay est maintenant établie à Montréal et à Berlin, en Allemagne. Elle a effectué des études en théâtre à la Neighborhood Playhouse School of the Theatre de New York et a complété un baccalauréat en arts visuels (avec majeure en photographie) à l'Université Concordia à Montréal en 2000, année où elle a commencé à exposer ses œuvres. Depuis, elle les a présentées au Canada et dans différents pays, dont les États-Unis, la France, la Suisse et l'Allemagne, pour ne nommer que ceux-ci. De ses récentes expositions individuelles, signalons *Honeymoons*, présentée à la Fototeca de Cuba, à la Havane, en 2005, au PFOAC à Montréal en 2004 et à la Gallery 44 à Toronto en 2003. Parmi les expositions collectives auxquelles elle a participé, notons *Bare Words*, présentée en 2007 à la galerie Lautom Contemporary à Oslo, en Norvège. De plus, ses œuvres figurent dans la collection du Musée d'art contemporain de Montréal et dans celle du Musée national des beaux-arts du Québec, à Québec.

Born in Val-David in 1972, Eve K. Tremblay lives and works in Montreal and Berlin. After studies at New York's Neighborhood Playhouse School of the Theatre, she earned a BA in fine arts (photography major) from Concordia University in 2000. She began exhibiting that year and her work has since been seen in Canada, the United States, France, Switzerland, Germany and elsewhere. Recent solo exhibitions include *Honeymoons* (2005, Fototeca, Havana, Cuba; 2004, PFOAC, Montreal; 2003, Gallery 44, Toronto). Group shows include *Bare Words* (2007, Lautom Contemporary, Oslo, Norway). She is represented in many collections, including those of the Musée d'art contemporain de Montréal and the Musée national des beaux-arts du Québec, Quebec City.

Women With Kitchen Appliances Women With Kitchen Appliances est un collectif féminin présentant des performances qui exploitent les capacités sonores des outils et des objets que l'on retrouve dans les cuisines. Reliés à l'univers domiciliaire de la femme depuis longtemps, ces objets culinaires sont détournés de leurs fonctions originales pour être recyclés en véritables instruments musicaux grinçants. Depuis la création du collectif en 1999, elles ont livré des performances dans différents lieux : sur scène et en galerie, mais aussi à l'intérieur de tentes, de lofts et d'appartements privés. Alliages de ludique et de kitsch, leurs manifestations ont été présentées à Montréal, à Toronto, à Ottawa, à New York et à Bruxelles, notamment au Festival Voix d'Amériques à Montréal en 2007, à la Nuit blanche à Montréal du Festival Montréal en Lumière, présentée à la Galerie Joyce Yahouda, en 2004, et au Festival de théâtre de rue de Shawinigan, en 2003.

Women With Kitchen Appliances is an all-female collective whose performances play on the sounds of cooking tools and kitchen items. Long relegated to the feminine world of domesticity, the culinary objects are diverted from their original functions and recycled as (gratingly) musical instruments. Since forming the collective in 1999, the women have taken their blend of mirth and kitsch to stages and galleries, but also to tents, lofts and private apartments, in Montreal, Toronto, Ottawa, New York and Brussels. Events include the Festival Voix d'Amériques (2007, Montreal), Montreal All-Nighter, Montreal High Lights Festival (2004, Galerie Joyce Yahouda) and Festival de théâtre de rue de Shawinigan (2003).

Cette publication contribue aux fondements d'une réflexion sur les liens qu'entretient l'art contemporain et actuel avec les thèmes et les matériaux alimentaires. Elle témoigne d'une manifestation d'envergure internationale, ORANGE, L'événement d'art actuel de Saint-Hyacinthe, qui s'est déroulée du 8 septembre au 22 octobre 2006. La publication et l'événement sont produits en partenariat avec EXPRESSION.

La publication

Sous la direction de Geneviève Ouellet

Auteurs : Sylvette Babin, Eve-Lyne Beaudry, Marcel Blouin, Mélanie Boucher, Catherine Nadon, Myriam Tétreault, Scott Toguri McFarlane

Révision du français : Colette Tougas
Révision de l'anglais : Marcia Couëlle
Traduction du français vers l'anglais : Marcia Couëlle
Traduction de l'anglais vers le français : Colette Tougas
Secrétariat et administration : Francine Authier

Numérisation et traitement des images : Photosynthèse, Marcel Blouin
Conception graphique : Eveline Lupien
Correction d'épreuves : Timothy Barnard, Geneviève Ouellet, Myriam Tétreault

Photographies de l'événement : Jean-Philippe Baril Guérard, p. 53, 83; Alain Chagnon, p. 12, 15, 17, 47, 64, 68, 75-77, 96, 100-101; Nicolas Humbert p. 20, 28, 69, 78-79, 91, 108; Guy L'Heureux p. 8-9, 11, 24, 36-37, 45, 48, 51-52, 55-57, 60, 64-65, 68-69, 72, 77, 86, 92, 94, 98, 104-105, 107, 113, 142-143; Daniel Roussel, couverture, p. 19, 21, 23-25, 27, 29, 31, 35, 37, 39-41, 43-45, 49, 59-61, 63, 65, 85, 103, 160.

Impression : Transcontinental

L'événement

Commissariat de Eve-Lyne Beaudry, Marcel Blouin, Catherine Nadon, Myriam Tétreault

Artistes : Jennifer Angus, Raul Ortega Ayala, Gabriel Baggio, Thomas Blanchard, Thérèse Chabot, Cooke-Sasseville, Marc Dulude, Renay Egami, Les Fermières Obsédées, Aude Moreau, Luce Pelletier, Marc-Antoine K. Phaneuf, Karen Tam, Eve K. Tremblay, Women With Kitchen Appliances

Direction générale : Eve-Lyne Beaudry, Marcel Blouin

Communication : Catherine Nadon
Promotion : Eve-Lyne Beaudry, Catherine Nadon, Myriam Tétreault
Direction technique : Stéphan Bernier, Roger Despatie
Éducation : Catherine Nadon
Secrétariat et administration : Francine Authier
Conception graphique : Alexandre Geoffrion, Eveline Lupien
Conférences : Eve-Lyne Beaudry, Geneviève Ouellet
Montage : Raymond Bolduc, Jean-François Claing, Jean-François Daigle, Michel Dion

Conception du site Web : Frédérick Lussier pour ZupStudio
< http://www.expression.qc.ca/orange/index.html>

ORANGE, L'événement d'art actuel de Saint-Hyacinthe
495, avenue Saint-Simon, Saint-Hyacinthe (Québec) J2S 5C3
T 450.773.4209
F 450.773.5270
www.expression.qc.ca/orange
orange@expression.qc.ca

Fondé en 2003, ORANGE, L'événement d'art actuel de Saint-Hyacinthe, est un événement d'envergure internationale dont la mission est de promouvoir et de diffuser l'art contemporain et actuel à travers le thème de l'agroalimentaire.

Distribution
Édipresse
945, avenue Beaumont, Montréal (Québec) H3N 1W3
T 514.273.6141 ou 1.800.361.1043
F 514.273.7021
www.edipresse.ca
information@edipresse.ca

ISBN 978-2-922326-58-1
Dépôt légal
Bibliothèque et archives nationales du Québec, 2008
Bibliothèque nationale du Canada, 2008
© Les artistes et leurs ayants droit pour les œuvres
© Les auteurs pour les textes
© ORANGE, L'événement d'art actuel de Saint-Hyacinthe, et EXPRESSION, Centre d'exposition de Saint-Hyacinthe, pour la publication

Imprimé au Québec, Canada

La publication a été rendue possible grâce à l'appui financier du Conseil des Arts du Canada, du Conseil des arts et des lettres du Québec,
de la Direction régionale de la Montérégie du Ministère de la Culture, des Communications et de la Condition féminine du Québec
et du Conseil de la Culture de Saint-Hyacinthe. L'événement a quant à lui été rendu possible grâce à l'appui de Patrimoine canadien,
du Conseil des Arts du Canada, de Jeunesse Canada au travail, du Conseil des arts et des lettres du Québec, d'Emploi-Québec et
de la Ville de Saint-Hyacinthe. ORANGE tient à chaleureusement remercier son principal partenaire, EXPRESSION.